Chère lectrice,

En ce début de printemps, q[illegible]ur au soleil ?

Direction Hawaï et ses plages idylliques, en compagnie de Marshall, médecin militaire, qui y fait une rencontre qui va bouleverser sa vie à jamais (*Une si belle surprise*, Blanche n° 1167).

Mais le voyage ne s'arrête pas là : prochaine escale, le Brésil et sa jungle luxuriante ! Dans *La tentation du Dr Tracy Hinton* (Blanche n° 1166), Tracy, jeune médecin humanitaire, est dans une situation très délicate : elle cherche à tout prix à sauver un village d'une terrible épidémie ; or, le seul homme qui puisse l'aider est justement celui qu'elle s'est juré de ne plus jamais revoir…

Bonne lecture, et rendez-vous le mois prochain !

La responsable de collection

L'homme de sa vie

*

Un amour inattendu

JENNIFER TAYLOR

L'homme de sa vie

éditions HARLEQUIN

Collection : Blanche

Cet ouvrage a été publié en langue anglaise
sous le titre :
MR. RIGHT ALL ALONG

Traduction française de
MICHELLE LECŒUR

HARLEQUIN®
est une marque déposée par le Groupe Harlequin

Blanche® est une marque déposée par Harlequin S.A.

ÉDITIONS HARLEQUIN

83-85, boulevard Vincent-Auriol, 75646 PARIS CEDEX 13.
Service Lectrices — Tél. : 01 45 82 47 47
www.harlequin.fr

ISBN 978-2-2803-1013-0 — ISSN 0223-5056

1.

Passant devant l'unité pédiatrique de l'Hôpital général de Dalverston, Ryan Sullivan fit la grimace. Il ne prétendait pas être un grand artiste, mais au moins chantait-il juste ! Cela n'était manifestement pas le cas de celle qui, derrière la porte, était en train de massacrer une comptine.

Entrant dans la pièce, il fut surpris de trouver Eve Pascoe au chevet de Daisy Martin, une petite patiente de cinq ans. C'était l'heure du déjeuner ; Eve aurait dû prendre sa pause, mais, surtout, elle était la dernière personne qu'il s'attendait à entendre chanter.

Ils s'étaient connus pendant leurs études de médecine à Londres, et avaient poursuivi leur formation dans le même hôpital. A l'époque, Eve était gaie, spirituelle, drôle, chaleureuse… Tout ce qu'elle n'était plus aujourd'hui. Qu'avait-il bien pu lui arriver ces dernières années ? Ce n'était pas la première fois qu'il se posait la question. Pourquoi avait-elle changé à ce point ? Certes, elle lui répondait toujours poliment quand il engageait la conversation, mais elle était devenue très distante — et pas seulement avec lui.

Cela faisait maintenant deux mois qu'elle était arrivée au Dalverston General, mais elle n'avait participé à aucune des traditionnelles activités extra-professionnelles. Elle avait décliné les invitations aux soirées curry et cinéma sans la moindre justification. Aussi avait-elle la réputation d'être un peu snob — ce qu'il ne croyait pas du tout, même si elle venait d'un milieu très aisé. Que s'était-il donc passé ?

Et pourquoi lui portait-il tant d'intérêt ? Il en était troublé, même s'il ne pouvait s'agir que d'une curiosité amicale, sans rien de sentimental.

Soudain, Eve leva les yeux, et il prit aussitôt un air impassible. Il n'était pas homme à s'engager ni à rechercher une relation suivie. Il ne voulait rien faire qui pût causer de la peine à quelqu'un ; l'amour et ses problèmes ne faisaient pas partie de ses projets, ni maintenant ni jamais.

— Je t'ai entendue chanter, dit-il.

La voyant rougir, il sourit.

— C'était... particulier, fit-il.

— D'après la maman de Daisy, c'est sa comptine préférée, répondit-elle, sur la défensive.

Elle se leva pour se pencher au-dessus du lit, où la petite Daisy était recroquevillée. Voyant Eve sourire à l'enfant, il eut un choc. Soudain elle ressemblait à l'ancienne Eve, celle qui était à la fois joyeuse et bienveillante.

Sa curiosité fut de nouveau piquée au vif. C'était décidé, rien ne l'arrêterait, il allait découvrir la raison de son spectaculaire changement de personnalité.

— Je reviendrai te voir tout à l'heure, ma puce, dit Eve à sa petite patiente. Maintenant, ferme les yeux et fais dodo. C'est très bien.

Après une légère caresse sur les cheveux de l'enfant, elle se dirigea vers la porte et il dut s'effacer pour la laisser passer.

— Pardon.

Sans réfléchir, au lieu de partir vers la cantine comme il l'avait prévu, il lui emboîta le pas dans le couloir. Le déjeuner pouvait attendre. Pourtant, étant donné l'attitude d'Eve depuis qu'il l'avait revue, il était peu probable qu'elle lui ouvre facilement son cœur.

Cette pensée le perturba beaucoup plus qu'elle ne l'aurait dû. Certes, ils avaient été amis, et même très bon amis, mais il ne s'était jamais rien passé entre eux, il avait fait ce qu'il fallait pour cela. A une seule occasion, lors d'une fête où il l'avait embrassée sous le gui, il avait failli flancher, mais il s'était rendu compte de son erreur à temps.

A l'époque, comme maintenant d'ailleurs, Eve était très jolie, avec ses cheveux blond-roux et ses magnifiques yeux gris-vert. Mais elle était très différente des femmes qu'il fréquentait, qui avaient une certaine expérience du monde et ne cherchaient pas à s'engager. Aussi n'avait-il jamais voulu transformer leur amitié en autre chose — surtout après ce baiser. Cette nuit-là, il avait pris conscience qu'il aurait très facilement pu s'attacher à elle, ce qui était la dernière chose qu'il voulait.

Il avait donc été plutôt soulagé quand, peu de temps après, elle avait commencé à sortir avec Damien Blackwell, un des internes. Cela avait permis à Ryan de ne plus fantasmer sur ce qui aurait pu être. Eve n'était pas pour lui. Pourtant, après ce baiser, il avait eu plus de mal qu'il ne l'aurait cru à la chasser de ses pensées.

Mais, dès Damien entré en scène, plus rien n'avait été pareil : il l'avait accaparée et elle avait cessé de voir ses amis.

Ryan s'était convaincu qu'il était content de la savoir heureuse, mais elle lui avait manqué ; leur amitié signifiait beaucoup pour lui. Il avait été stupéfait d'apprendre qu'elle avait laissé tomber sa formation. Elle avait disparu du jour au lendemain, sans l'informer de quoi que ce fût. Il s'était demandé pourquoi elle avait arrêté, mais n'avait pas essayé de la contacter. Il n'avait rien à lui offrir.

Damien était-il responsable de ce changement spectaculaire en elle ? Lui avait-il pris son éclat, sa chaleur et son humour, pour en faire la femme froide et distante qu'elle était devenue ?

Ryan sentit la colère monter en lui. Quelque chose lui disait qu'il avait raison. Il ne pouvait supporter l'idée que la vie d'Eve ait pu être gâchée par cet homme. Cela le conforta dans sa décision de ne pas s'engager : il était hors de question de rendre une pauvre femme malheureuse !

*
* *

Installée devant l'ordinateur du service, Eve compléta le dossier de Daisy Martin. La petite fille souffrait de drépanocytose, une maladie du sang héréditaire caractérisée par une forme très sévère d'anémie. Daisy était la plus jeune de trois enfants de parents jamaïcains, et la seule à en être atteinte. La maladie s'était manifestée quand elle était bébé, entraînant fatigue, maux de tête, souffle court et jaunisse.

Pendant quelque temps, Daisy s'était assez bien portée, mais, récemment, elle avait eu une crise qui avait nécessité son admission aux urgences pédiatriques. C'était une enfant adorable. Pourquoi devait-elle souffrir ainsi ? C'était si triste, si injuste.

Eve s'efforça de se concentrer sur son travail et d'oublier Ryan. Quand il était dans les parages, elle se sentait mal à l'aise et constamment sur ses gardes, craignant toujours de faire une gaffe. Il la connaissait depuis sa période « d'avant Damien », et avait dû remarquer à quel point elle avait changé.

Elle soupira. Quel choc elle avait eu en apprenant que Ryan travaillait au Dalverston General. Elle y avait postulé justement parce qu'elle avait peu de chance d'y retrouver quelqu'un qu'elle avait connu dans le passé. Tous ses collègues de l'époque avaient évolué professionnellement.

En abandonnant sa formation, elle avait pris un retard qu'elle devait maintenant rattraper. Pourquoi y ajouter le stress des explications, des justifications ? Elle l'avait fait auprès de Roger Hopkins, le directeur de l'hôpital, et cela avait été bien assez difficile.

C'était la raison pour laquelle elle gardait ses distances avec le reste du personnel, et particulièrement avec Ryan. Elle voulait éviter qu'il ne lui pose des questions. Ils avaient peut-être été de bons amis, mais elle n'avait pas envie de reconnaître combien elle avait été stupide, ni lui avouer sa honte. Cela aurait été trop humiliant.

— Daisy va beaucoup mieux, tu ne trouves pas ? dit Ryan, la faisant sursauter.

Il s'assit sur le bord du bureau. C'était plus fort qu'elle,

elle tremblait. Même si elle avait réussi à maîtriser sa peur du contact physique quand il s'agissait de ses patients, la panique la gagnait lorsque quelqu'un s'approchait d'elle — surtout un homme.

Heureusement, ils n'étaient pas tous comme Damien. Ryan n'était ni une brute ni un maniaque du contrôle… Du moins, pas à sa connaissance. Autrefois, il avait toujours été drôle, plein d'humour et de chaleur, et il ne semblait pas avoir changé. Mais comment en être sûre ?

Au début, Damien lui avait semblé très différent, avant qu'elle ne le connaisse mieux et ne découvre de quoi il était capable.

Affolée, elle dut respirer profondément pour être en mesure de répondre. Même sa voix était tendue, et elle détestait cela. Elle ne voulait pas donner cette impression-là, passer pour une victime. Pourtant, c'était ce qu'elle était devenue. Elle avait permis à Damien Blackwell de prendre possession de sa vie, d'avoir le contrôle sur *elle*.

Il lui faudrait du temps avant de se retrouver — si cela arrivait jamais.

— En effet. Elle est bien plus vive, répondit-elle.

Après avoir tapé rapidement quelques phrases, elle sauvegarda le dossier. Puis elle se leva pour contourner le bureau, mais s'arrêta net. Elle ne pouvait pas passer à côté de Ryan sans le toucher. Même si elle avait réussi à surmonter en partie ses peurs, la pensée de sentir sa peau frôler la sienne lui coupa le souffle. Elle était capable de toucher des enfants, voire un adulte lorsque les circonstances l'exigeaient, mais devoir s'approcher de Ryan la faisait trembler des pieds à la tête.

— Est-ce que ça va ? demanda-t-il en se penchant vers elle, une lueur d'inquiétude dans les yeux. Tu es toute pâle. Tu ne vas pas t'évanouir ?

Elle s'agrippa à sa chaise.

— Je… Je n'ai pas eu le temps de prendre de petit déjeuner, dit-elle dans un murmure.

Parviendrait-elle un jour à maîtriser cette panique ? A

avoir de nouveau une relation physique et à l'apprécier ? Elle avait tout essayé, voir un psy, rencontrer d'autres victimes de mauvais traitements. Mais la peur était profondément enracinée en elle, les souvenirs trop présents : d'abord un semblant d'amour, puis la violence…

— Viens, je t'invite à déjeuner, dit Ryan.

Il passa la main sous son bras pour la guider vers la porte. Perdant ses moyens, elle le repoussa avec brusquerie.

— Ne me touche pas !

Il fit un pas en arrière et la regarda fixement.

— Excuse-moi, dit-il. Je ne voulais pas te brusquer. Tu devrais vraiment aller manger quelque chose. A l'évidence, tu en as besoin.

Tournant les talons, il s'éloigna d'un pas vif, manifestement contrarié.

Encore toute tremblante, elle se laissa tomber sur sa chaise. Quelle idiote ! Pourquoi avait-elle réagi de manière aussi disproportionnée ? A présent, tout le monde dans le service allait savoir qu'elle était déséquilibrée, instable…

Cependant, elle doutait que Ryan raconte l'incident partout. Ce n'était pas son genre. Dans son souvenir, il avait toujours été gentil, l'avait toujours soutenue. Elle voulait croire que, contrairement à elle, il n'avait pas changé. Curieusement, cette pensée la réconforta.

Ryan avait beau faire, il ne parvenait pas à oublier la scène. Tout en effectuant les tournées de l'après-midi en compagnie d'Eve, il revoyait sa réaction quand il l'avait prise par le bras. La plupart du temps, les femmes étaient plutôt contentes qu'il les touche. Mais c'était de la peur qu'il avait vue dans ses yeux, et il ne pouvait trouver qu'une explication à cela : elle avait dû être victime de violences physiques.

Cette idée lui était insupportable. Il fallait qu'il sache la vérité. Si elle avait été battue par son compagnon, il voulait l'aider… A condition d'en être capable. A priori, il n'y avait aucune raison qu'elle lui fasse confiance, à lui.

Et pour le moment, il devait finir d'expliquer à Rex Manning, leur conseiller médical, le cas d'un patient de sept ans qu'ils devaient examiner avant de le laisser quitter l'hôpital.

— Parfait. J'aime voir mes patients faire des progrès rapides, dit Rex en adressant un sourire charmeur aux parents d'Alfie Hudson, qui le regardaient anxieusement.

Le garçon avait été admis pour une appendicite et s'était très bien rétabli. A présent, le conseiller médical venait recueillir les lauriers de l'opération. Peu importait que ce soit Ryan qui l'ait effectuée.

— C'est un excellent résultat, n'est-ce pas ? dit Rex.

Ryan réprima une grimace en entendant le jeune couple adresser un concert de compliments à son supérieur. Rex avait un peu tendance à jouer les vedettes, mais comment lui en tenir rigueur ? C'était un excellent praticien. Ryan fit un clin d'œil à Eve qui, à sa surprise, le lui rendit. Après son récent rejet, il s'y attendait si peu qu'il eut l'impression de flotter dans les airs.

Comment pouvait-elle avoir un tel effet sur lui ? C'était assez déconcertant. Certes, il était prêt à l'aider, mais sans trop s'impliquer dans sa vie.

Lui-même avait suffisamment à faire — des choses trop importantes pour être reportées. Finalement, il avait eu de la chance. Il était toujours là, à jouir de la vie, et il faisait ce qu'il voulait. Ce n'était pas le cas de Scott, son frère jumeau, qui n'avait pas eu l'opportunité de laisser de trace dans ce monde. C'était donc à Ryan de le faire à sa place, ce qui ne lui laissait guère de temps pour se préoccuper d'Eve.

Il avait pris sa décision lorsque Scott était mort tragiquement, à l'âge de dix-sept ans. Ryan s'était juré que son frère ne serait pas oublié et avait travaillé dans ce but durant toutes ces années. Grâce à ses efforts pour collecter des fonds, plus de trente défibrillateurs avaient été achetés et placés dans des centres commerciaux, des piscines et sur des terrains de sport. La prochaine étape était les écoles.

Personne ne devait plus mourir, comme Scott, par manque d'équipement. Aucun parent ne devait être confronté à l'horreur de perdre un enfant, comme cela avait été le cas des siens. Ryan s'était fixé cet objectif, et il le poursuivrait jusqu'à la fin — jusqu'à ce qu'il soit trop vieux pour participer à des courses ou escalader des montagnes pour rassembler des fonds.

Il n'y avait donc pas de place dans sa vie pour une relation sérieuse.

Il regarda Eve et son cœur se serra. Il savait à quoi il devait consacrer sa vie, alors pourquoi lui semblait-il soudain plus important d'aider Eve à redevenir la femme gaie et chaleureuse qu'elle avait été ?

2.

Il était 19 heures passées lorsque Eve quitta l'hôpital, après les visites du soir. Les parents de Daisy Martin avaient souhaité lui parler et elle avait passé un certain temps à les rassurer. Avec la drépanocytose, personne ne pouvait prévoir quand une crise allait se déclencher, ce qui était très dur à vivre pour les parents.

L'appartement d'Eve se trouvait près du fleuve. Elle décida de rentrer à pied plutôt que d'attendre le bus, qui serait de toute façon bondé. Il faisait chaud, le soleil venait juste de descendre derrière les collines environnantes.

A l'origine, Dalverston avait été un tranquille petit bourg, à cheval entre le Lancashire et Cumbria. Depuis une trentaine d'années, la ville s'était étendue mais elle n'en avait pas moins gardé son charme, et attirait de nombreux visiteurs. Pâques n'était que dans une semaine, et il y avait de nombreux touristes.

Jusque-là, Eve avait toujours vécu dans une grande ville. Elle s'était inquiétée de son adaptation à une vie plus rurale, mais cela s'était mieux passé qu'elle ne l'avait imaginé. Elle se sentait en sécurité ici, et c'était plus important que tout.

Arrivée au sentier qui menait au fleuve, elle choisit de prendre un raccourci : elle avait envie d'être chez elle le plus tôt possible. La journée avait été difficile et elle attendait avec impatience le moment où elle pourrait refermer sa porte sur le monde. Mais cela ne l'empêcherait pas de penser à ce qui s'était passé. Ryan n'était pas stupide, il ne manquerait pas de se poser des questions sur la manière dont elle se comportait avec lui. Allait-il lui demander des explications ? Cela dépendrait sans doute de son intérêt pour elle.

Inconsciemment, elle accéléra le pas. Elle ne pouvait supporter l'idée qu'il découvre un jour ce qui lui était arrivé. Elle en avait déjà suffisamment honte, il était inutile que d'autres sachent à quel point elle avait été stupide. Elle avait laissé Damien Blackwell diriger sa vie parce qu'elle avait cru qu'il l'aimait. Seulement, ce n'était pas de l'amour, mais quelque chose de beaucoup plus destructeur. Il lui avait fallu un certain temps avant de s'en rendre compte. A présent, elle savait qu'elle ne pouvait plus se fier à son propre jugement. Ce qui était arrivé une fois pouvait se reproduire.

Cette sombre pensée l'accompagna sur le sentier. Cependant, l'endroit était si paisible, loin de la circulation, que, pour la première fois depuis l'incident avec Ryan, elle se détendit.

Oui, elle avait eu une réaction disproportionnée, dont elle aurait normalement dû s'excuser. Mais que pouvait-elle dire ? Que la seule pensée d'un homme posant les mains sur elle lui faisait horreur ? Cela risquait d'entraîner toute une série de questions, auxquelles elle ne voulait surtout pas répondre. Pourtant, elle le savait, il serait beaucoup plus difficile de cacher la vérité à Ryan qu'à n'importe qui d'autre.

Ryan était beaucoup trop agité pour passer la soirée devant la télévision. Il était plus convaincu que jamais que quelque chose de terrible était arrivé à Eve, et cette idée le torturait. Le fait que cette femme, autrefois si douce et drôle, ait pu souffrir d'une quelconque façon n'était pas acceptable. Il voulait lui offrir son soutien, tout en devinant qu'elle le rejetterait : elle ne voulait manifestement rien de lui.

Dans l'espoir de se changer les idées, il décida d'aller courir. Dans quelques semaines, il allait participer à une course pour rassembler des fonds et il avait besoin d'intensifier son entraînement.

A peine arrivé chez lui, il se changea donc et ressortit pour emprunter le sentier qui longeait la rive du fleuve. Le temps était particulièrement agréable — un temps parfait pour courir. Il ne tarda pas à se détendre et retrouva du même coup un peu de son optimisme. Il y avait quelque chose qu'il pouvait faire pour aider Eve : la persuader de lui faire confiance. Ce serait un début.

Dans un virage, il faillit percuter Eve.

— Désolé !

Instinctivement, il lui saisit les avant-bras pour la retenir avant qu'elle ne perde l'équilibre, et sentit l'instant exact où la surprise fit place chez elle à quelque chose d'autre. Il la relâcha aussitôt, s'efforçant de réprimer la colère qui montait en lui. Personne n'aurait dû éprouver une telle peur, et surtout pas Eve !

— Je… J'ignorais que tu aimais courir, dit-elle d'une voix tremblante.

Il fut touché par ses efforts pour garder son calme, et la colère fit place à la tendresse. Si elle avait peur, elle faisait tout pour que cela ne se voie pas.

— Je ne suis pas certain d'aimer vraiment ça, mais c'est un mal nécessaire, répondit-il d'un ton léger.

Il lui parla de la course et soupira.

— Je ne voudrais pas perdre la face en abandonnant dès le début.

Elle sourit en secouant la tête.

— Je doute que cela arrive. Tu m'as l'air très en forme.

Ce simple compliment, dans sa bouche, suffit à réveiller sa libido. Elle ne voulait sans doute rien dire de spécial, et certainement pas qu'elle le trouvait attirant !

— J'aimerais avoir ta confiance, répondit-il d'un ton désabusé.

Il esquissa un sourire forcé. Depuis qu'ils s'étaient revus, il avait adopté la même attitude qu'elle et gardé ses distances. Mais s'il avait agi d'une autre manière, peut-être se serait-elle confiée à lui plus facilement ? La voix de la raison l'incitait à ne pas changer de cap, mais il choisit de faire la sourde oreille.

— Pendant l'hiver, j'ai trop traîné sur le canapé devant la télé, je suis très peu sorti courir depuis Noël, dit-il. Je ne viendrai jamais à bout des trois plus hauts sommets de Grande-Bretagne si je ne m'entraîne pas plus sérieusement.

— Je vois. Cette course est-elle plutôt un défi personnel à relever ou une œuvre charitable ? demanda-t-elle en repoussant une mèche de cheveux dorés qui lui balayait la figure.

— Réponse numéro deux, dit-il, laconique.

Il s'éclaircit la gorge et dut faire un effort pour continuer à se comporter de manière sensée. Il aimait les femmes, et elles le lui rendaient bien. Il semblait avoir une connivence naturelle avec le sexe opposé, si bien qu'il ne s'était jamais attardé sur toutes les nuances d'une relation. S'il demandait à une femme de sortir avec lui et qu'elle acceptait, ce qui était généralement le cas, il appréciait simplement les moments passés avec elle. Si leur relation devenait plus intime, c'était tant mieux. Sinon… il s'était fait une nouvelle amie.

Mais il ne s'était jamais arraché les cheveux en essayant de disséquer ses sentiments ou de calculer la part qu'y prenait l'attirance sexuelle. Il considérait toujours une femme comme un ensemble, et voilà qu'il se retrouvait rempli de désir à cause d'une mèche soyeuse qu'il aurait voulu toucher !

— Je rassemble des fonds pour équiper le lycée de deux défibrillateurs portables, dit-il d'une voix un peu précipitée.

Comme d'habitude, il voulut se concentrer sur Scott et

ce qu'il lui restait à accomplir. Mais ce ne fut pas aussi efficace.

— Lorsque ce sera fait, je m'attaquerai aux écoles primaires.

Elle haussa légèrement un sourcil, et il sentit sa libido revenir au galop.

— C'est une très bonne idée, mais qu'est-ce qui t'a amené à t'impliquer dans un tel projet ? demanda-t-elle.

— Mon frère.

— Il est impliqué, lui aussi ?

— D'une certaine façon, oui.

— C'est drôle, j'ignorais totalement que tu avais un frère.

En effet, ils avaient eu beau être amis et échanger toutes sortes de confidences, il ne lui avait jamais parlé de Scott. Ils avaient discuté de travail, de leurs ambitions pour l'avenir, des musiques et des films qu'ils aimaient, mais jamais de la seule chose qui avait eu une influence déterminante sur sa vie.

A présent, il se rendait compte qu'il avait évité ce sujet parce qu'il avait souhaité que ses conversations avec Eve constituent une sorte de havre : quand il se trouvait avec elle, il oubliait tout le reste. Il n'était plus le frère de Scott ni le seul enfant qu'il restait à ses parents, mais simplement lui-même.

Eve n'avait aucune idée de ce qu'il se passait dans la tête de Ryan, et ne tenait d'ailleurs pas à le savoir : quelque chose lui disait que ce serait beaucoup trop stressant.

Elle esquissa un vague sourire — le genre de sourire sans expression pour lequel elle s'était exercée à une époque, devant le miroir de sa chambre. Après avoir réussi à quitter Damien, elle n'avait plus souri pendant des mois. Mais elle s'était vite rendu compte que c'était le meilleur moyen d'éviter que les gens ne lui posent des questions.

— Ce doit être super, d'avoir un projet commun avec ton frère.

— Sans doute… s'il était encore là.

La voix de Ryan était tellement blanche qu'elle leva la tête, et son cœur se serra quand elle vit son visage. Impossible d'ignorer la douleur qu'elle lisait dans ses yeux.

— Comment cela ?

— Scott est mort à dix-sept ans. Nous étions frères jumeaux, mais pas monozygotes.

— Oh ! je ne savais pas…

— Comment l'aurais-tu su ? Je ne t'en ai jamais parlé.

— Pourquoi ? demanda-t-elle spontanément, avant de se mordre les lèvres.

Elle était en train de tomber dans le piège qu'elle avait toujours voulu éviter : poser des questions, écouter les réponses — bref, se rapprocher d'un autre être humain. Elle voulait rester distante, détachée, indifférente, mais c'était impossible. En tout cas, avec Ryan.

Il haussa les épaules.

— Pourquoi je ne t'en ai pas parlé ? Oh ! pour toutes sortes de raisons. Parce que je voulais pouvoir apprécier nos conversations sans être toujours ramené à ce qui s'était passé. Parce que je ne tenais pas à être le frère de Scott, le jumeau qui n'était pas mort. Parce que, égoïstement, j'avais juste envie d'être moi-même.

Son honnêteté la toucha beaucoup plus qu'elle ne l'aurait voulu, et une vague de compassion la submergea. En un geste spontané, elle tendit la main vers lui, mais s'arrêta juste à temps. Malgré son envie de le réconforter, elle devait garder sa réserve.

— Ce n'était pas égoïste. Je suppose que cela a été très dur pour toi…

— Pas autant que pour Scott.

Le ton désabusé de Ryan ne réussit pas à masquer son chagrin, et elle sentit son cœur fondre.

— Je ne peux pas imaginer ce que c'est de perdre

quelqu'un qu'on aime, dit-elle d'une voix à peine audible. Mais ce n'était sûrement pas ta faute, Ryan.

— Je le sais.

Il haussa les épaules et, sous son T-shirt noir moulant, ses muscles bougèrent. Le cœur d'Eve se mit à battre de façon étrange — comme il n'avait pas battu depuis des années.

La soudaine conscience qu'elle eut de sa présence lui rappela la nuit où il l'avait embrassée, sous le gui, à la fête de Noël de l'hôpital. Cela avait commencé comme une plaisanterie. Poussé par leurs amis, il avait roulé des yeux avant de céder à leur pression et de l'embrasser. Et là… Au moment où sa bouche s'était posée sur la sienne, tout avait basculé.

Elle se rappelait encore la vague de sensations qui l'avait submergée : jamais elle n'avait rien éprouvé de semblable. Les lèvres de Ryan l'avaient enfiévrée, remplie de désir. Aussitôt, elle avait voulu aller plus loin que ce baiser.

Quand il l'avait relâchée, elle en était tout étourdie, décontenancée. Comment un simple baiser avait-il pu déclencher de telles réactions en elle ? En même temps, elle avait eu envie qu'il recommence, et qu'il l'embrasse en privé, cette fois, sans tous leurs amis autour. Mais il ne l'avait pas fait.

Au contraire, durant les jours qui avaient suivi, il était devenu distant, prenant ses pauses à d'autres moments qu'elle et trouvant des excuses peu convaincantes pour ne pas déjeuner en sa présence.

Elle s'était d'abord sentie infiniment blessée, jusqu'à ce qu'elle comprenne qu'il agissait en fait conformément à ses idées. Il ne cherchait pas de relation durable et ne voulait pas s'engager. Il était manifestement satisfait de l'avoir pour simple amie.

Et voilà que, maintenant, elle le contemplait avec des yeux écarquillés, prenant pleinement conscience de ses cheveux bruns, de ses beaux yeux sombres bordés de cils noirs, de ses traits à la fois réguliers et énergiques. Son regard glissa sur ses larges épaules, son torse musclé et sa taille svelte. Il portait un short de sport fendu sur les côtés, laissant apparaître les muscles fermes de ses cuisses. Il avait l'air en pleine forme et si incroyablement séduisant qu'elle étouffa une exclamation.

Non, elle n'allait pas recommencer ! Elle s'était déjà laissé séduire une fois par un physique avantageux et s'était retrouvée traumatisée, sa vie brisée.

Tout ce qu'elle voulait à présent, c'était en recoller les morceaux épars et tenter de se retrouver. Ryan était peut-être attirant, mais il ne se passerait rien avec lui. Jamais.

Jetant un coup d'œil à sa montre, elle soupira ostensiblement.

— Il est déjà si tard ? Il faut que j'y aille.

— Moi aussi.

Il la gratifia de l'un de ses merveilleux sourires pleins de chaleur et elle dut se faire violence pour ne pas répondre de même. Il était inutile de l'encourager.

— A demain, dit-elle avant de s'éloigner à la hâte.

Au détour du sentier, elle ralentit l'allure, le cœur battant. Elle s'était juré qu'elle ne serait plus jamais séduite par aucun homme, mais il était inutile de le nier : elle était attirée par Ryan, et devait donc prendre ses distances avec lui.

Elle poussa un grognement, consciente de la difficulté de la tâche. Comme l'éviter alors qu'ils travaillaient ensemble ? En tout cas, si elle ne voulait pas commettre une nouvelle erreur, elle devait mettre un frein à ses sentiments.

Ryan fit de son mieux pour ne plus penser à sa rencontre avec Eve au bord du fleuve, mais échoua lamentablement. Pendant la semaine, il se remémora beaucoup trop souvent ces instants passés avec elle. Certes, elle n'avait pas dit grand-chose, mais il aurait fallu qu'il soit aveugle, sourd *et* stupide pour ne pas remarquer sa réaction.

Car, soudain, elle l'avait regardé… comme un homme.

De son côté, lui avait remarqué depuis longtemps qu'elle était une femme — et même une femme très attirante.

Le samedi arriva, et il remercia le ciel de ne pas avoir à aller travailler. Il était en congé tout le week-end : quarante-huit heures sans Eve. S'il ne parvenait pas à se la sortir de la tête, ce ne serait pas faute d'avoir essayé, décida-t-il.

Après le petit déjeuner, il avait l'intention d'aller courir, puis de faire quelques douzaines de longueurs de piscine. Après quoi, un peu de musculation remettrait de l'ordre dans son esprit et le ramènerait sur la voie de la raison.

Si cela ne marchait pas, il serait toujours temps de réfléchir à autre chose, mais il ne serait sans doute plus en état d'entreprendre d'autres exercices.

Eve…

Ses cheveux blond-roux, ses yeux gris-vert, ses formes appétissantes…

Poussant un juron, il ressortit de la cuisine. Mieux valait oublier le petit déjeuner : il irait courir directement, et finirait bien par se débarrasser de pensées qui l'obsédaient désormais littéralement.

Il prit le même chemin que la fois précédente. Un éclair ne frappait pas deux fois au même endroit. Pourtant, en sortant d'une courbe du chemin, il aperçut Eve qui avançait dans sa direction. Ralentissant, il réfléchit à toute vitesse. Devait-il faire demi-tour ? Mais s'il l'avait vue, il y avait de grandes chances qu'elle l'ait vu aussi. Elle ne devait surtout pas croire qu'il avait un problème avec elle. Même si c'était le cas.

Un pas, puis deux, et la décision lui échappa : il était déjà trop tard. Il s'arrêta, haletant, ce que l'effort qu'il venait de fournir ne justifiait pas.

Le simple fait de voir Eve lui coupait le souffle, lui faisait éprouver toutes sortes de sensations inhabituelles.

Enfer et damnation ! Il avait un gros problème !

*
* *

Eve s'arrêta, le cœur battant la chamade. Inutile de se mentir : elle avait choisi de marcher le long de la rivière dans l'espoir d'y voir Ryan. Mais elle n'était pas prête à s'interroger plus avant. Pourquoi par exemple faisait-elle en sorte de le rencontrer alors qu'elle avait décidé de garder ses distances ? Elle verrait cela plus tard… Peut-être.

— Comme on se retrouve, dit-elle avec un petit rire qui manquait de naturel.

Ryan lui sourit et, se sentant aussitôt fondre, elle lui rendit son sourire.

— Ne serais-tu pas un peu masochiste ? lui demanda-t-elle.

Il rit à son tour.

— Peux-tu imaginer mon humiliation, si je laissais tomber après avoir persuadé tout le monde de participer ?

Elle hocha la tête.

— En effet, ce ne serait pas terrible.

— Pour commencer, Marie, la redoutable infirmière de pédiatrie, ne me le pardonnerait jamais.

— Elle participe ?

— Oui. Et elle a récolté presque trois cents livres de promesses de dons.

— C'est fabuleux ! répondit-elle, sincèrement impressionnée.

— Au total, nous devrions rassembler pas loin de dix mille livres, ce qui fait beaucoup d'argent.

— En effet. Ajoute mon nom à la liste des sponsors. Est-ce que cinquante livres suffiront ?

— C'est super, merci.

Spontanément, il lui toucha la main et elle fit de son mieux pour ne pas réagir, en vain. Une vague de panique la submergea et elle étouffa une exclamation.

Il se pencha pour la regarder droit dans les yeux, une flamme de colère dans le regard.

— J'ignore qui est responsable de la manière dont tu as changé, Eve. Mais si je peux faire quoi que ce soit, tu n'as qu'à demander.

Il se redressa, l'air déterminé.

— Je voudrais t'aider, Eve. Laisse-moi simplement le faire.

3.

Mais que faisait-elle là ?

Désorientée, Eve jeta un coup d'œil circulaire sur la cuisine autour d'elle. A peu près toutes les couleurs de l'arc-en-ciel y étaient représentées, depuis les murs jaunes jusqu'aux placards bleu vif, en passant par la vaisselle multicolore et la bouilloire rouge. Elle s'entourait habituellement de toutes les nuances de gris, de l'argenté à l'anthracite. La couleur renvoyait aux extrêmes, à la passion, au désir — toutes choses qu'elle ne voulait plus connaître.

Elle redoutait aussi la couleur parce qu'elle reflétait ses sentiments pour Ryan. Elle ne pouvait pas le voir en noir et blanc, ni même en gris : il était imprimé dans sa tête en Technicolor, exactement comme cette pièce.

— Désolé, c'était ma mère, dit-il en la rejoignant. Elle a le chic pour téléphoner au moment qui convient le moins.

Il avait passé un survêtement noir par-dessus sa tenue de course. Il alluma la bouilloire et elle eut du mal à supporter le sifflement qui s'amplifiait à mesure que l'eau bouillait. Elle n'avait plus qu'une envie : fuir.

Il la regardait, mais il ne disait rien. Il avait perçu la panique s'insinuer en elle, elle en était certaine, mais il ne lui posa pas de questions, acceptant simplement son trouble. Pour le coup, elle se sentit mieux.

— Prends au moins une tasse de café avant de partir, dit-il. Il y en a pour quelques secondes.

Il prit deux mugs sur l'étagère et y versa une cuillerée

de café instantané qu'il recouvrit d'eau bouillante. Puis il posa le tout sur la table avec la jarre de lait — orange — et le pot de sucre — couvert de points multicolores. Puis il s'assit, la laissant décider de ce qu'elle voulait faire.

Elle avait la liberté de partir ou de rester, mais elle savait qu'il avait envie qu'elle reste. Parce qu'il s'intéressait à elle. C'était pour cela qu'il avait insisté pour qu'elle l'accompagne chez lui. Mais elle, voulait-elle qu'il s'intéresse à elle ? C'était la grande question, à laquelle elle ne pouvait pas répondre pour le moment.

— Un biscuit ? Ou que dirais-tu d'un toast ?

Elle secoua la tête et but un peu de café, soufflant d'abord sur la surface pour le refroidir. Elle détourna les yeux, pour éviter de voir ses lèvres pleines s'appuyer sur la porcelaine.

Le silence s'installa. Inconsciemment, elle se mit à compter les minutes. Combien de temps durerait-il ? Une minute ? Dix minutes ? Quand elle vivait avec Damien, elle avait appris à redouter les « blancs ».

Car s'il ne parlait pas, il réfléchissait, et elle avait fini par craindre ses pensées tout autant que ses actes. En un clin d'œil, il pouvait transformer le calme et la paix en terreur. Alors elle remplissait le silence de bavardages, de commentaires ineptes destinés à l'apaiser — mais cela marchait rarement.

A mesure que les souvenirs affluaient, les larmes lui montèrent aux yeux et elle fixa sa tasse, souhaitant pouvoir y disparaître. Non, elle n'avait pas assez de courage pour rassembler les morceaux et réapprendre à être elle-même.

— Raconte-moi, Eve. Je ne te promets pas que cela t'aidera beaucoup, mais au moins, cela te soulagera.

La voix de Ryan était si calme, patiente et dénuée de crainte, qu'elle sentit sa peur la quitter peu à peu.

Elle haussa les épaules, ses mains agrippant le mug comme une bouée.

— Que veux-tu que je te raconte ? Tu as déjà deviné, à mon avis.

— Deviner est une chose, entendre ce que tu as subi en est une autre.

Il tendit la main vers elle, mais s'arrêta en chemin et elle eut un pincement au cœur. Il ne la toucherait plus ; elle lui avait fait clairement comprendre qu'elle ne le supportait pas.

Elle aurait dû se sentir soulagée, mais comprit surtout à quel point elle avait changé. Dans le passé, il l'avait souvent enlacée ou serrée amicalement contre lui, et soudain, cette chaleur et cette gentillesse lui manquaient. Elle avait envie d'être normale. Si elle parvenait à étreindre de nouveau quelqu'un, à accepter son contact, elle pourrait redevenir celle qu'elle avait été.

— Comme tu dois t'en douter, j'ai eu une relation destructrice au cours de laquelle j'ai subi des violences, dit-elle enfin. Il m'a fallu presque deux ans pour trouver le courage de partir. Je ne suis pas encore remise de cette histoire.

— Tu as tout de même réussi à t'en aller. Beaucoup de femmes ne trouvent jamais la force de rompre les liens.

Il parlait d'une voix égale, mais elle n'était pas dupe. Il devait détester l'idée qu'elle ait pu être maltraitée. Un peu de chaleur réconfortante la gagna.

— Pourtant, j'avais toujours pensé que je ne serai jamais une femme battue, dit-elle, brûlant soudain de s'expliquer. Nous en avions vu plus d'une fois durant notre formation, tu t'en souviens ? Je n'arrivais pas à comprendre comment elles pouvaient laisser leur mari ou leur petit ami les traiter de cette manière. Mais c'est différent, lorsque cela t'arrive personnellement.

— Je me rappelle une femme qui disait qu'elle détestait ce qui lui était arrivé, et qu'elle se détestait plus encore, mais elle ne savait pas comment faire pour arrêter ça.

La voix de Ryan était toujours calme. Ils auraient aussi bien pu être en train de discuter du prix des légumes. Mais elle savait qu'il se souciait vraiment d'elle. Du moins voulait-elle le croire.

— Je suppose qu'elle aimait son conjoint et qu'elle ne pouvait pas imaginer la vie sans lui, dit-elle.

Il hocha la tête.

— Cela fait partie du processus. L'agresseur rend sa victime si dépendante de lui qu'il devient impossible pour elle de s'imaginer sans lui.

— Ou sans elle. Il y a aussi des hommes victimes de maltraitance.

— C'est exact, mais ils sont loin d'être aussi nombreux que les femmes.

— Oui.

Soudain, elle eut la nausée. C'était toujours ainsi quand elle devait reconnaître qu'elle avait été victime de violences, même si elle savait très bien que c'était la vérité.

— Comment cela a-t-il commencé ? demanda-t-il doucement.

Elle fit un effort pour se ressaisir. Puisqu'elle était arrivée jusque-là, elle devait aller au bout.

— Exactement comme dans toutes les histoires de ce genre.

Ils échangèrent un regard et, pendant un bref instant, elle eut l'impression qu'il était proche d'elle, capable de la comprendre. Mais elle rejeta rapidement cette pensée. Il n'avait rien à voir là-dedans. C'était à elle de s'en sortir, d'apprendre à revivre, et… de se pardonner.

— Damien était terriblement charmant, drôle et sexy, j'étais complètement subjuguée. Lorsque j'ai compris à quel point c'était un obsédé du contrôle, il était trop tard. Au début, j'étais plutôt flattée qu'il veuille me voir tous les soirs, qu'il déteste que l'on soit séparés, ou que je sorte sans lui avec des amis. Je croyais qu'il n'hésitait pas à me montrer ses côtés vulnérables et, comme beaucoup de femmes, je trouvais cela touchant.

— Quand t'es-tu rendu compte que ce n'était pas la vulnérabilité qui le faisait se comporter ainsi ?

— En fait, cela s'est fait graduellement. Il a commencé par protester chaque fois que je sortais. Alors, pour avoir la paix, peu à peu j'ai cessé de voir mes amis. Et comme je refusais toujours de sortir avec eux, ils ont fini par ne plus me le proposer.

— Et il a obtenu ce qu'il voulait, en t'isolant. Attitude classique, fit Ryan, laconique.

— Exactement.

Elle esquissa un sourire désabusé.

— Je devrais peut-être écrire un article là-dessus, non ? Mais je ne crois pas que cela servirait à grand-chose. Il y a tant de femmes aussi crédules que moi…

— Ce n'est pas être crédule que de croire que quelqu'un vous aime, dit-il. C'est ce que tout le monde souhaite : aimer et être aimé.

— Et c'est aussi ce que tu désires ? demanda-t-elle sans réfléchir.

— Probablement.

— Mais, à ma connaissance, tu n'as jamais été avec quelqu'un plus d'un mois ou deux. Tu avais une réputation de coureur de jupons.

Il haussa les épaules, l'air désinvolte.

— Vraiment ?

Mais elle devina qu'il avait été atteint par sa remarque et regretta ses paroles. Elle avait bien assez à faire avec sa propre vie sans se mêler de la sienne.

— Pour finir mon histoire… Une fois que Damien a eu le contrôle sur ma vie privée, il s'est occupé de ma vie professionnelle.

Elle s'interrompit, prenant pleinement conscience de la gravité de sa phrase. Perdre ses amis avait déjà été difficile, mais abandonner sa carrière avait été pire encore. Elle avait tout laissé tomber, cédant aux menaces par crainte de contrarier Damien. Toutes ses années d'études et de dur travail avaient été réduites à néant par sa faiblesse.

— Comment s'y est-il pris pour contrôler ta vie professionnelle ? demanda Ryan après un silence.

Même si elle tenait à ce qu'il sache la vérité, elle ne

voulait pas qu'il en soit trop affecté. C'était bien assez qu'elle ait à souffrir de son propre aveuglement.

— Oh ! encore une fois, rien que de très banal, répondit-elle d'un ton faussement désinvolte. Cela pouvait être un commentaire qui me faisait douter de mon jugement, ou un regard qui me faisait comprendre que j'avais tort. Si tu te souviens, c'était souvent lui qui menait les tournées de salle. Le conseiller médical était rarement là, il a eu des dizaines d'occasions de me rabaisser. Crois-moi, il a su en tirer parti.

Ryan fronça les sourcils.

— Je ne me suis rendu compte de rien. Je me rappelle qu'il te parlait de façon un peu brusque quelquefois, mais je pensais qu'il ne voulait pas avoir l'air de te favoriser. Tout le monde savait que vous étiez ensemble.

Elle eut un sourire amer.

— Je n'aurais jamais pu gravir les échelons si Damien avait eu son mot à dire.

— Tu as dû vivre un vrai cauchemar, Eve. N'as-tu jamais pensé à en parler à quelqu'un ?

— Non. Lorsque j'ai réalisé ce qui se passait, il était trop tard. J'avais terriblement honte de m'être laissé entraîner là-dedans… et aussi trop peur de Damien.

Ryan resta les yeux fixés sur son mug de café. Il le serrait si fort que les jointures de ses doigts en étaient blanches. Il dut faire un effort pour relâcher leur pression.

Eve était passée par une terrible épreuve sans qu'il s'en aperçoive, parce que, de son côté, il avait été trop occupé à éviter de s'attacher à elle. Et il ne pouvait pas s'empêcher de se sentir coupable de l'avoir laissée tomber à ce moment-là.

— Je suis désolé, Eve, dit-il doucement. Je sais bien qu'il est trop tard, mais je regrette sincèrement de ne pas avoir été là pour toi.

Levant la tête, il rencontra son regard et se sentit encore plus mal.

— Tu ne pouvais pas le deviner, Ryan. D'ailleurs, j'ai tout fait pour que tu ne sois pas au courant.

Elle éclata d'un rire amer.

— J'étais devenue experte dans l'art de dissimuler les preuves.

— Tu veux dire... Les ecchymoses ?

Il eut du mal à ne pas laisser transparaître le dégoût dans sa voix.

— Oui, répondit-elle. Pourtant, Damien prenait soin de ne pas frapper là où c'était le plus visible.

Cette fois, il ne put plus le supporter. Eve avait presque l'air de s'excuser, alors que c'était elle la victime. Et c'était à elle que les excuses auraient dû être adressées.

— De toute évidence, cet homme a de nombreux talents, dit-il en repoussant sa chaise.

Il se dirigea vers la bouilloire, sachant pourtant qu'il serait incapable d'avaler une goutte de café. Mais il fallait qu'il fasse quelque chose, il ne pouvait pas rester là, sans bouger.

Elle avait fait preuve d'un tel courage pour lui raconter son histoire... Il avait eu affaire à d'autres victimes de violences conjugales et il savait combien en parler était dur pour elles. A la honte se mêlait un sentiment de culpabilité, car elles se sentaient souvent responsables de leur sort. Il ne supportait pas qu'Eve pense la même chose d'elle...

Faisant volte-face, il chercha son regard.

— Ce qui s'est passé n'était pas ta faute, Eve. Est-ce que tu le comprends ?

Elle haussa les épaules et détourna les yeux.

— Oui et non. Intellectuellement, je le comprends, mais émotionnellement... c'est une autre histoire.

Se rasseyant, il jura entre ses dents et se pencha sur la table. Quelle frustration de ne pas pouvoir la toucher. Le pourrait-il jamais ? Serait-elle capable un jour de ne plus se crisper quand il poserait la main sur elle ?

Et tout à coup, il lui parut d'une extrême importance qu'elle y arrive. Il *fallait* qu'il la touche. Pour lui autant que pour elle. Elle avait été absente de sa vie pendant plusieurs années, mais, dorénavant, il tenait à ce qu'elle en fasse partie.

Il entendit alors des coups précipités à la porte du cottage.

— Je me demande qui cela peut être, fit-il entre ses dents.

Au cours des années, il s'était installé dans un rythme de vie confortable. S'il sortait souvent avec des femmes, il ne se donnait jamais complètement dans une relation. Une part de lui-même demeurait toujours en retrait.

C'était plus sûr ainsi. Il pouvait rester axé sur ses objectifs, c'est-à-dire honorer la mémoire de Scott en récoltant de l'argent pour éviter à d'autres familles de traverser la même épreuve que la sienne.

Mais il savait que, s'il s'occupait d'Eve, il ne pourrait pas agir de la même façon. Il faudrait qu'il se donne entièrement, et il n'était pas du tout certain que ce soit raisonnable. Quelque chose lui disait que, plus il lui donnerait, plus il voudrait lui donner encore. Et où cela le mènerait-il ?

Il avait toujours évité l'amour parce qu'il ne voulait pas ruiner la vie d'une femme. S'il tombait amoureux, se mariait et avait un enfant, ce dernier risquait de mourir, comme Scott. Même si lui-même n'était pas affecté par l'anomalie génétique qui avait causé la mort de son frère, il pouvait la transmettre à ses enfants. Aussi ne ferait-il jamais de bébé, et ne se marierait-il pas non plus. Même si, au début, sa compagne acceptait cette condition, elle risquait de changer d'avis par la suite et de chercher à le forcer à faire des enfants. Quel couple pouvait survivre à ce genre de pression ?

Avait-il pris ses distances avec Eve quelques années auparavant parce qu'il avait senti, quelque part dans son subconscient, qu'elle était la femme qui pouvait lui faire remettre en question sa décision de rester célibataire ?

Dans un éclair de lucidité, il sut que c'était la vérité. Il devait à tout prix rester sur une base amicale avec elle : elle avait suffisamment souffert.

Le cœur lourd, il ouvrit la porte et fronça les sourcils en voyant Maureen Roberts, sa voisine, sur les marches. Elle était complètement trempée et de l'eau ruisselait sur le paillasson.

— Nous avons besoin de votre aide, Ryan, dit-elle sans préambule. Un garçon est tombé dans le fleuve, il ne respire plus. Mon mari l'a sorti de l'eau, mais son portable ne marche plus, il l'avait dans sa poche de pantalon quand il a sauté, et on n'a pas encore prévenu les secours.

— Je vois. Peux-tu appeler une ambulance pour une noyade ? demanda-t-il à Eve qui les avait rejoints. Je vais essayer de ranimer ce garçon.

Sans attendre de réponse, il courut en direction du fleuve. Il pouvait compter sur Eve, il le savait. Ce dont il était moins sûr, c'était s'il pouvait compter sur lui-même et se contenter d'être ami avec elle. Saurait-il résister à l'envie d'aller plus loin que l'amitié ? Ou céderait-il à la tentation ?

4.

Ils continuèrent à tenter de ranimer le garçon longtemps après qu'il n'y eut plus d'espoir.

Une nouvelle fois, Eve prit le relais pour effectuer des pressions sur la poitrine de l'enfant tandis que Ryan lui insufflait de l'air dans la bouche. Elle eut envie de lui dire d'arrêter, qu'ils avaient fait tout ce qu'il était possible de faire. Mais elle ne trouva pas les mots. Comment lui dire qu'il n'y avait plus d'espoir, alors qu'à l'évidence, il était si important pour lui de sauver ce garçon ?

L'ambulance arriva enfin, et ce fut un soulagement de laisser faire l'équipe d'auxiliaires médicaux. Ryan les supervisa pendant qu'ils faisaient une injection d'adrénaline à l'enfant avant d'utiliser le défibrillateur. Mais le résultat était inchangé : une ligne plate, horizontale, sur l'écran. Le garçon était mort, et tout ce que l'on pouvait faire à présent, c'était avertir ses parents.

Ryan regarda l'ambulance s'éloigner avec un air déterminé. Inutile de mettre la sirène, songea tristement Eve. Elle se força à sourire lorsque Maureen, cherchant visiblement un peu de réconfort, les rejoignit.

— Nous avons fait tout notre possible, dit Eve. Sans doute était-il déjà resté trop longtemps sous l'eau avant que votre mari ne l'aperçoive.

— Je sais bien, répondit Maureen, les larmes aux yeux. Mais c'est si difficile quand il s'agit d'un enfant. Pauvres parents… Je n'ose pas imaginer ce qu'ils vont ressentir en apprenant la nouvelle. Apparemment, la famille se trouvait ici en vacances. Ils avaient loué une caravane à la ferme Fulbrook.

Le visage défait, encore sous le choc, le mari de Maureen vint la chercher.

Eve soupira et se tourna vers Ryan, resté silencieux.

— Voilà, c'est fini. Il n'y a plus rien à faire.

Il hocha lentement la tête avant de s'éloigner, s'arrêtant au passage pour laisser ses coordonnées à l'officier de police qui était arrivé. Elle fit de même, la procédure légale consistait à faire ensuite une déposition. Ce ne serait pas de gaieté de cœur : une jeune vie avait été emportée, et c'était une tragédie.

Ryan avait-il eu l'air particulièrement touché parce que cela lui rappelait la perte de son frère ? Il ne lui avait jamais raconté comment celui-ci était mort. Le suivant à l'intérieur de la maison, elle se mordit la lèvre. Elle avait beau ne pas vouloir trop s'impliquer dans ses affaires, elle ne pouvait pas simplement s'en aller quand il avait besoin d'elle. D'autant qu'il avait pris la peine de l'écouter — sans la juger, comme il aurait pu le faire. Comme par le passé, il s'était montré un véritable ami. Après lui avoir parlé, elle s'était sentie beaucoup mieux.

Une fois dans la cuisine, elle alluma la bouilloire et se tourna vers lui.

— J'ai besoin de boire quelque chose. Pas toi ?

Il haussa les épaules.

— Si tu veux.

Le visage fermé, le regard vide, il s'assit à la table, et elle l'imita. Devait-elle le questionner ? Il serait ensuite encore plus difficile de reprendre ses distances. Mais comment ne pas le faire ? Comment ne pas tenter de l'aider ? Elle s'était juré de ne plus jamais être lâche.

— Je ne voudrais pas me montrer trop indiscrète, mais je me rends compte combien ce drame t'a affecté. Cela t'a-t-il rappelé ton frère ?

Il poussa un long soupir et, s'adossant sur sa chaise,

fixa le plafond en silence comme s'il cherchait à maîtriser son émotion.

— Que lui est-il arrivé ? demanda-t-elle d'un ton qu'elle s'efforça de garder neutre.

Mais elle était émue par son chagrin, et cela l'inquiéta. Elle risquait de se laisser entraîner dans une direction où elle ne voulait pas aller.

— Il a eu un arrêt cardiaque, sans avertissement. Il s'est juste effondré sur le sol, et il est mort.

— Mon Dieu, c'est affreux ! Cela a dû être un choc terrible pour tes parents et pour toi.

— C'est le moins que l'on puisse dire.

Le visage de Ryan était impénétrable, mais c'était sans doute la condition pour qu'il puisse raconter ce qui s'était passé : en gardant ses émotions sous contrôle.

— Scott était toujours en super forme. C'était un excellent footballeur — il jouait avant-centre dans notre école — et il s'entraînait sérieusement. Il voulait devenir professionnel. Il était en train de disputer un match quand il est mort.

Il s'interrompit, l'air si triste qu'elle eut un serrement de cœur et, spontanément, lui toucha la main. Elle voulait le consoler, elle aurait tant voulu pouvoir alléger sa peine.

— Je suis navrée, Ryan. Sincèrement.

— Merci, répondit-il en esquissant un vague sourire. Avec le temps, c'est devenu un peu moins dur, mais je suis encore bouleversé lorsque j'y pense.

— C'est compréhensible.

Elle retira sa main, prenant soudain conscience de son geste. Un frisson la parcourut. Mais, curieusement, elle ne fut pas envahie par la panique comme elle aurait pu s'y attendre.

— Sais-tu ce qui lui est arrivé ? demanda-t-elle, sans vouloir s'attarder sur la question.

— Oui. C'était un désordre du système électrique cardiaque, ou LQTS. Sur un électrocardiogramme, c'est une mesure qui reflète l'activité électrique dans les ventricules. Dans le cas de ce syndrome, le temps que met le système électrique à se recharger après chaque battement de cœur est plus long que la normale. Cela peut entraîner un rythme cardiaque très rapide, irrégulier, qui fait que le sang n'est pas pompé correctement au niveau du cœur. Le cerveau est privé d'oxygène, ce qui provoque une perte soudaine de conscience, voire la mort.

Il esquissa une grimace et secoua la tête.

— Désolé, tu dois déjà savoir tout ça. Mais j'ai l'habitude de me lancer dans cette explication chaque fois que je dois récolter des fonds.

— En fait, je n'ai encore jamais eu à traiter ce genre de cas. Ce doit être assez rare, non ?

— Pas tant que ça. Ce syndrome cause la mort de trois à quatre mille enfants et jeunes adultes par an, rien qu'aux Etats-Unis.

Elle ne put cacher sa surprise.

— Vraiment ? Je n'en avais aucune idée.

— Moi non plus, avant. Cela fait environ une personne sur dix mille atteinte de ce syndrome.

— Et personne ne savait que ton frère était touché ?

— Non. Scott pratiquait de nombreux autres sports en plus du football, il était toujours très actif. Ça a été un véritable coup de tonnerre.

— Et… Cela peut être héréditaire, n'est-ce pas ?

— Oui. Une fois que la cause de la mort a eu été établie, nous avons tous subi des tests, dans la famille. Deux cousins étaient également morts à l'adolescence — l'un en se noyant pendant qu'il nageait et l'autre durant son sommeil. On a pu faire le lien avec une anomalie génétique.

Soudain, elle dut se forcer à respirer plusieurs fois profondément pour se calmer. Ryan n'était-il pas le jumeau de Scott ?

— Et toi, est-ce que ça va ? demanda-t-elle d'une voix légèrement tremblante.

— Tout à fait. Je ne suis pas affecté directement par le gène. J'ai deux autres cousins qui ont été touchés, mais ils sont sous bêta-bloquants, et je suis content de pouvoir dire qu'ils vont bien.

— Heureusement qu'ils ont été testés. Dommage que ton frère n'ait pas montré de signes de la maladie avant.

— Ce sont des choses qui arrivent, dit-il d'une voix impassible.

— Il n'empêche, ce doit être très éprouvant, surtout après ce qui s'est passé aujourd'hui, murmura-t-elle.

Elle toucha de nouveau sa main et un léger frisson courut sous sa peau. S'agissait-il de crainte, ou de plaisir ? La deuxième possibilité ne lui paraissait pas moins dangereuse que la première.

— J'ai été un peu submergé par l'émotion, dit-il, se confiant enfin. Habituellement, je suis capable de voir les choses avec plus de distance, mais j'étais déjà un peu secoué, et cela n'a pas dû aider.

— Par ce que je t'avais raconté sur moi ?

— Oui.

Il n'avait pas cherché de faux-fuyants, se contentant d'être franc avec elle, et elle lui en fut reconnaissante. Elle n'aurait surtout pas voulu qu'il essaie de lui mentir pour l'épargner. L'honnêteté lui avait tellement fait défaut durant le temps qu'elle avait passé avec Damien. Elle avait menti à ses amis, à ses parents et à ses collègues. Et Damien avait menti encore plus.

Aussi n'en appréciait-elle que davantage la sincérité de Ryan.

— Je suis désolée, je ne voulais pas te perturber…

— Peu importe, je suis heureux que tu m'aies parlé.

Il la regarda droit dans les yeux et elle frissonna en voyant son expression. Il y avait tant de tendresse, de sollicitude et… d'autres choses dans son regard, que son cœur se mit à battre plus vite. Cela faisait des siècles que personne ne l'avait regardée de cette façon ; comme si elle était quelqu'un de précieux, de spécial. Non pas pour obtenir quelque chose d'elle, mais pour faire quelque chose *pour* elle.

Pour le coup, elle se sentit différente à l'intérieur : moins seule, moins isolée. C'était un sentiment étrange, après ces années passées à l'écart du monde, mentalement et physiquement.

— Cela m'a fait du bien, dit-elle, désireuse de se montrer aussi honnête que lui. Je me sens moins seule.

— Tant mieux.

Il lui sourit, de ce sourire qu'elle avait toujours trouvé si craquant dans le passé… et même à présent, ce qui était plutôt inquiétant.

— Oh ! il faut que j'y aille, j'ai une tonne de travail qui m'attend, dit-elle en se précipitant vers la porte.

Elle avait confié à Ryan plus de choses qu'elle n'en avait jamais raconté à personne. Même si cela l'avait effectivement aidée, n'était-elle pas allée trop loin ? Il lui serait maintenant beaucoup plus difficile de le maintenir à distance. Elle n'avait rien à lui offrir — rien qui vaille la peine d'être partagé.

— Si tu as besoin de moi, Eve, tu sais où me trouver, dit-il, depuis la porte où il l'avait suivie.

Au moment où elle allait sortir de la maison, ils échangèrent un regard. Elle eut l'impression qu'il comprenait sa crainte de s'engager dans une relation. Elle se sentit plus détendue. Ryan, lui, ne l'obligerait jamais à faire quelque chose qu'elle ne voulait pas faire.

— Merci, répondit-elle en souriant. C'est important pour moi, plus que tu ne saurais l'imaginer.

Sur ces mots, elle s'éloigna à la hâte. Il ne fallait surtout pas qu'elle commence à voir Ryan comme un preux chevalier ayant pour mission de la sauver. Elle ne voulait surtout pas devenir un fardeau pour lui.

C'était à elle seule de se retrouver. Si elle en était capable.

*
* *

Le dimanche matin, Ryan se rendit au poste de police et fit sa déclaration, soulagé qu'Eve ne soit pas dans les parages.

Une fois de retour chez lui, il se mit en tenue de sport et choisit de passer par un autre chemin pour aller courir. Mieux valait ne pas risquer de la croiser de nouveau.

Il soupira en grimpant sur la colline. Comment éviter Eve, alors qu'ils travaillaient ensemble ? Il avait besoin d'espace pour respirer, reprendre le contrôle de ses émotions. Ce qu'elle lui avait raconté l'avait profondément touché et il fallait qu'il prenne un peu de recul. Sinon, il risquait de trop s'impliquer, et il ne pouvait pas se le permettre. Il n'avait rien à lui offrir, pas plus à elle qu'à n'importe quelle autre femme.

Il ne devait surtout pas l'oublier, et éviter de se laisser entraîner par les émotions inhabituelles qui se bousculaient en lui.

Le lundi, il fut soulagé de retourner travailler. Au moins, à l'hôpital, il pouvait oublier Eve pendant quelque temps. Arrivé au service de pédiatrie, il poussa la porte du bureau et la vit, assise devant l'ordinateur. Qui cherchait-il à tromper ? Il n'était pas plus capable d'oublier Eve à l'intérieur qu'à l'extérieur de l'hôpital !

Elle leva la tête et lui sourit, mais il vit de la méfiance dans ses yeux. Elle éprouvait les mêmes difficultés que lui : elle avait du mal à *le* chasser de ses pensées. Et le sachant, comment allait-il, lui, réussir à prendre ses distances ?

— Nous avons eu une admission tôt ce matin, dit-elle d'un ton très professionnel. Il faudrait que tu le voies. Il s'agit de George Porter, un garçon de dix ans qui s'est plaint de maux de tête ces derniers jours. Comme il avait de la fièvre, sa mère a pensé qu'il s'agissait d'un virus et lui a donné du paracétamol pour faire baisser la température. La nuit dernière, son état a empiré et elle l'a amené aux urgences.

— Qu'ont-ils dit ?

— Infection virale. Ils ont conseillé à la mère de

continuer le traitement et l'ont renvoyé chez lui. Tôt le matin, il s'est mis à crier que sa tête allait exploser, et elle a appelé une ambulance.

— Bon. Allons le voir.

Ryan prit tout son temps pour examiner le jeune patient, sous le regard anxieux de sa mère. Il vérifia ses réactions à la lumière — qui étaient normales — puis lui palpa la base du cou et sentit une nette rigidité dans les muscles.

— Touche-lui le cou, dit-il calmement à Eve.

Il s'écarta pour lui laisser la place et réprima un tressaillement lorsque leurs bras se frôlèrent au passage. Il dut faire un effort pour ne rien laisser paraître. Réagir ainsi quand une femme le touchait n'était pas dans ses habitudes, et encore moins au travail.

Oui, il en était arrivé là ! Il ne voulait pas s'impliquer, mais il n'avait peut-être plus le choix !

5.

— Il y a effectivement une raideur à la base du cou, dit calmement Eve.

Mais son corps était traversé par toutes sortes de sensations qu'elle s'efforçait d'ignorer. Elle avait touché Ryan, et alors ? C'était un accident, contrairement à la veille où elle avait délibérément posé la main sur son bras dans l'intention de le réconforter.

Heureusement Ryan, penché sur l'enfant, ne la regardait pas. Il releva les jambes de pantalon de George et, comme lui, elle fronça les sourcils en voyant des marques rouges sur sa peau.

— Quand ces marbrures sont-elles apparues ? lui demanda-t-il.

— Elles n'étaient pas là quand il a été admis ce matin. Est-ce bien ce à quoi je pense ?

— Oui. C'est le genre d'éruption que l'on voit dans les cas de méningite méningocoquale.

Mme Porter poussa une exclamation horrifiée tandis qu'il prenait un verre d'eau sur la table de chevet et l'appuyait contre les marbrures.

— Vous voyez ? Les marques ne disparaissent pas. Il s'agit bien d'une méningite. Nous devons nous en occuper tout de suite.

Il s'excusa et referma le rideau avant de partir, laissant Eve réconforter la maman de George. Cette dernière tremblait d'une manière incontrôlable, et Eve vit le moment où la pauvre femme allait se sentir mal.

Elle remplit un second verre d'eau et le lui tendit.

— Buvez une gorgée. Si vous pensez que vous allez vous évanouir, mettez la tête entre vos genoux.

Mme Porter s'exécuta et, peu à peu, elle retrouva ses couleurs.

— Vous pensez qu'il s'agit d'une méningite ? demanda-t-elle d'une voix anxieuse.

— C'est probable, répondit doucement Eve.

— Mais pourquoi n'ont-ils rien vu aux urgences, la nuit dernière ?

— Je l'ignore.

Celui qui avait examiné l'enfant la veille s'était montré négligent en n'envisageant pas cette possibilité.

— Vous savez, parfois il est difficile de donner un diagnostic précis tant que tous les symptômes ne sont pas apparus.

Ryan fut bientôt de retour avec Marie Thomas, l'infirmière de salle, et George fut mis aussitôt sous perfusion.

— Je vais lui administrer des antibiotiques par voie intraveineuse, dit Ryan tout en insérant une canule dans le bras du jeune garçon.

Rapidement, le goutte-à-goutte se mit à circuler.

— Plus vite ils feront de l'effet, plus ils seront efficaces, dit-il.

Mme Porter eut l'air effondré.

— C'est grave, docteur, n'est-ce pas ?

— Je le crains. Nous devons prélever un échantillon de liquide cérébrospinal pour confirmer le diagnostic, mais j'en suis pratiquement certain. Je regrette seulement que ce n'ait pas été décelé plus tôt.

— Ce n'est pas votre faute, dit la mère. Si quelqu'un doit être à blâmer, c'est le médecin qui a vu mon fils aux urgences. En fait, il ne s'est guère soucié de lui, il était trop occupé à consulter son portable. Mais attendez que mon mari soit au courant. Il ne va pas laisser passer ça, vous pouvez en être sûr.

Ryan répondit avec exactement la même remarque qu'Eve au sujet de la précision du diagnostic. Dans le passé, lorsqu'ils travaillaient ensemble pendant leur formation, ils parvenaient souvent aux mêmes conclusions et avaient pris l'habitude d'en rire, chacun accusant l'autre de lire dans ses pensées.

Eve soupira. C'était une époque heureuse. Dire qu'elle avait renoncé à cette connivence pour ce qu'elle avait pris pour de l'amour… Elle avait été aveuglée par le charme de Damien, s'était laissé séduire par son bagout. A présent, elle avait plus de discernement. Du moins, elle l'espérait.

Mais elle avait été blessée que Ryan se montre distant après la fête de Noël. Elle avait vraiment cru qu'il s'était passé quelque chose de spécial entre eux quand il l'avait embrassée, puis elle s'était mise à douter tant il ne pensait manifestement pas la même chose.

Lorsque quelqu'un comme Damien avait porté son attention sur elle, elle s'était sentie flattée. Peut-être avait-il remarqué combien elle était vulnérable alors, et c'était la raison pour laquelle il avait jeté son dévolu sur elle ? Parce qu'il la trouvait malléable, crédule — bref, parce qu'elle était une victime potentielle ?

Cette idée était très dérangeante, et ne pouvait que renforcer sa décision de ne pas s'engager de nouveau. Ce qui s'était produit une fois pouvait recommencer, même si elle était persuadée que Ryan ne la traiterait jamais ainsi.

Une fois de plus, elle le voyait positivement. Si elle n'y prenait pas garde, elle allait s'attacher de plus en plus à lui.

Elle se concentra sur le cas de George et organisa son transfert au service de grande dépendance, pendant que Ryan expliquait à sa mère ce qui allait se passer. Pour un parent, entendre qu'une aiguille allait être insérée dans la colonne vertébrale de son enfant devait être atrocement stressant, mais si quelqu'un pouvait leur rendre cela moins pénible, c'était Ryan. Il avait le don d'inspirer confiance.

Elle était bien placée pour le savoir, elle qui aurait dû se méfier de lui comme de n'importe quel homme. Mais elle ne pouvait s'empêcher de le voir différemment.

La journée était chargée et passa rapidement, à la satisfaction de Ryan. Il aimait être occupé, et aujourd'hui particulièrement. Ainsi, il évitait de penser à Eve. Ce serait une autre histoire quand il rentrerait chez lui.

Appuyant sur le bouton de l'ascenseur, il soupira. Il se rappela sa réaction quand elle l'avait touché : une simple pression de sa main sur son bras, et il avait été complètement chamboulé !

Quand il regagna l'unité de pédiatrie, il repéra Eve à un bout de la salle et se détourna pour ne pas être tenté de la regarder. Marie vint au-devant de lui. Avait-il su le fin mot de l'histoire à propos de ce qui s'était passé aux urgences ?

— D'après l'interne, c'est un vacataire qui s'est occupé de George, répondit-il.

— Classique, dit l'infirmière en grommelant. Dans un souci d'économie, on passe par une agence plutôt que d'employer du personnel à plein temps. Après, il ne faut pas s'étonner si tout va de travers.

— L'interne n'a pas dit cela, répondit-il.

Il entendit des pas derrière lui et se raidit. Il *savait* qu'il s'agissait d'Eve. Déjà, il sentait son délicat parfum floral.

— A propos, vous êtes partant pour ce soir ? lui demanda Marie.

— Ce soir ? fit-il distraitement.

— Pour la soirée curry, bien sûr ! Ne me dites pas que vous avez oublié un événement social comme celui-ci ?

Marie rit et il se força à l'imiter. Il fallait à tout prix qu'il cesse de se laisser ainsi emporter par ses émotions.

— Ce doit être mon âge, fit-il d'un ton léger. Je commence à avoir des difficultés à me souvenir de certaines choses.

— Eh bien ! Qu'est-ce que ce sera quand vous aurez le

mien, rétorqua-t-elle, entrant dans le jeu. Afin de rafraîchir votre mémoire défaillante, je vous rappelle que nous nous retrouvons à 19 heures au restaurant Taste of India.

— Entendu. Qu'en penses-tu ? demanda-t-il sans réfléchir à Eve qui passait à côté d'eux. Toi qui adorais le curry autrefois, que dirais-tu de venir te régaler avec nous ?

Eve reposa son tube de rouge à lèvres et se contempla un instant dans le miroir. Elle s'était donné du mal, et le résultat en valait la peine. Après s'être lavé et séché les cheveux, elle les avait laissé tomber sur ses épaules en vagues cuivrées, au lieu de les attacher dans le style strict qu'elle avait adopté depuis quelque temps.

Habituellement elle se maquillait très peu, mais une ombre à paupières verte et une touche de mascara agrandissaient ses yeux et éclairaient son regard. Un gloss couleur pêche assorti à son pull soulignait discrètement ses lèvres pleines.

Elle savait qu'elle était jolie ainsi, mais était-ce bien raisonnable d'accorder autant de soin à son apparence ? N'avait-elle pas tort de se rendre à cette soirée ? Se rapprocher de ses collègues ne ferait que lui compliquer la vie. Pour le moment, en dehors de Ryan, personne ne savait rien de son passé, mais si elle se mêlait aux autres, tôt ou tard elle serait amenée à répondre à leurs questions. Comment expliquer qu'elle avait interrompu ses études pendant quatre ans sans leur parler de Damien ?

Une vague de panique la gagna et elle se força à respirer profondément, comme elle avait appris à le faire. Au bout d'un moment, elle se sentit mieux. Cela faisait des années que Damien avait été rayé de sa vie, pourtant il influait encore sur son comportement.

Elle devait y aller, ne serait-ce que pour se prouver qu'elle pouvait se libérer de son emprise.

Comme il faisait doux, elle décida de se rendre au restaurant à pied. Elle était presque arrivée quand elle entendit quelqu'un l'appeler. En se retournant, elle vit Ryan traverser la rue.

Il sourit en la rejoignant sur le trottoir et elle ne put empêcher son cœur de s'emballer dans sa poitrine. Il était terriblement séduisant, avec son pull d'un bleu profond qui faisait ressortir son teint mat.

— Tu marchais tellement vite que j'ai cru que je n'arriverais pas à te rattraper, dit-il. Tu dois avoir terriblement faim pour être aussi pressée !

Elle rit, s'efforçant de garder l'air naturel.

— Cela fait des siècles que je n'ai pas mangé un bon curry, répondit-elle.

Il n'était peut-être pas comme Damien et ne chercherait probablement pas à la manipuler à son propre avantage, mais il était trop tôt pour qu'elle en soit certaine.

Pour l'instant, elle devait avant tout se retrouver, redécouvrir la personne qu'elle était, et c'était suffisamment difficile. Inutile d'ajouter à sa vie des complications qui risquaient de l'empêcher d'atteindre son but.

— Tu ne trouveras pas de meilleur curry que celui de ce restaurant, dit-il avec assurance. C'est un de nos repaires favoris, et je suis heureux que tu aies décidé de te joindre à nous.

Il sourit si gentiment, avec tant de compréhension, qu'elle sentit son cœur fondre.

— C'est très aimable à toi de m'avoir invitée, répondit-elle poliment.

S'il remarqua son trouble, il n'en laissa rien paraître. Elle savait qu'il ne ferait rien pour la mettre mal à l'aise, et c'était un véritable soulagement de ne pas avoir à se tenir en permanence sur ses gardes.

Depuis qu'elle avait repris la médecine, elle s'était entourée d'une barrière protectrice afin que les gens ne remarquent pas à quel point elle était vulnérable.

Avec Ryan, c'était inutile : elle pouvait être franche avec lui et n'avait pas besoin de se cacher. Elle se rendit brusquement compte que c'était la première étape pour un retour à une vie ordinaire. Une fois qu'elle se serait habituée à s'ouvrir à Ryan, ce serait plus facile de faire de même avec les autres.

Sur cette constatation encourageante, elle entra avec lui dans le restaurant. Marie était déjà là avec deux autres infirmières, et toutes les trois les accueillirent avec enthousiasme.

Eve commença alors à se détendre. C'était une sensation merveilleuse que de pouvoir relâcher toute la tension qui l'avait accompagnée ces dernières années. Pour la première fois depuis bien longtemps, elle se sentait « normale ».

Ryan faisait de son mieux, mais il ne parvenait pas à détacher les yeux d'Eve. Elle avait quelque chose de différent ce soir, semblait plus détendue, plus heureuse. Quelle était la cause de ce changement chez elle ?

Se remettait-elle enfin de ses déboires avec Damien ? Plus que jamais, elle allait avoir besoin de lui comme ami, et il serait là pour l'aider. Il était inutile de vouloir être davantage pour elle, puisque cela n'arriverait jamais.

Il se joignit à la conversation, riant avec les autres lorsque Marie raconta l'incident qui avait eu lieu avec les parents d'une jeune patiente. Ignorant ce qu'était une canule, ils avaient craint que leur fille ne soit soumise à une sorte d'instrument de torture qui allait lui triturer le bras.

— On a trop tendance à oublier que tout le monde ne comprend pas notre jargon, alors que, pour la plupart des gens, c'est du chinois, dit-il.

— Il faudrait remettre aux parents une plaquette expliquant les différentes procédures, dit Eve.

Il approuva d'un signe de tête.

— C'est une bonne idée, cela éviterait bien des confusions.

— Si tu veux, je pourrais préparer quelque chose.

— Vraiment ?

Ravi de lui voir l'air aussi animé, il lui sourit. Elle

ressemblait soudain à l'ancienne Eve, toujours gaie et pleine d'enthousiasme. Quel bonheur de constater qu'elle n'avait pas été complètement détruite par les mauvais traitements de son ex.

— A votre place, je ferais très attention, dit Marie en agitant le doigt dans leur direction.

L'avait-elle percé à jour ? Avait-elle senti qu'il était attiré par Eve, et voulait-elle prévenir celle-ci qu'elle ne devait pas attendre grand-chose de lui ? Bien qu'il eût toujours pris soin de ne blesser personne, il était conscient de sa réputation de coureur. Mais il n'appréciait guère que Marie juge utile d'en avertir Eve.

— Il n'y a aucune raison de s'inquiéter, fit-il.

— Vraiment ? répondit Marie. J'ai déjà vu cette lueur dans vos yeux, Ryan Sullivan. Et d'après mon expérience, cela ne peut signifier qu'une chose : vous avez trouvé une autre poire.

Elle se tourna vers Eve et sourit.

— Sans que vous vous en rendiez compte, il vous fera faire toutes sortes de choses que vous n'auriez jamais envisagées. Croyez-moi, Ryan est passé maître dans l'art de vous amener là où il veut !

Tout le monde se mit à rire, Eve y compris. Mais il la sentait tendue. Elle n'avait tout de même pas pris au sérieux les plaisanteries de Marie ? Il n'en était pas certain, surtout après tout ce qu'elle avait traversé.

Cela le poursuivit toute la soirée. Il ne serait pas tranquille tant qu'il ne lui aurait pas parlé. Aussi fut-il soulagé lorsque les convives commencèrent à rentrer chez eux. Il allait pouvoir dissiper ce malentendu. Il ne voulait surtout pas qu'elle pense qu'il tentait, comme son ex, de la manipuler.

Marie et les autres infirmières partagèrent un taxi, les autres rentrèrent en voiture. Il se retrouva seul avec Eve.

Elle se tourna vers lui, et il se figea devant son regard rempli de méfiance. D'un seul coup, alors qu'elle avait enfin commencé à se détendre, ils venaient de faire un immense pas en arrière.

— Eh bien, à demain, lui dit-elle, s'éloignant déjà.

Mais il n'était pas question qu'il la laisse partir sans avoir réglé cette question.

En quelques enjambées, il la rattrapa.

— Je te raccompagne à pied.

— Oh ! c'est inutile, répondit-elle, accélérant le pas.

Il se maintint sans peine à sa hauteur.

— Je voudrais revenir sur ce que Marie a dit. Tu sais qu'elle plaisantait, n'est-ce pas ?

— Bien sûr.

L'intonation de sa voix indiquait clairement le contraire, et il poussa un soupir.

— Voyons, Eve. Tu ne peux pas sérieusement croire que j'essaierais de te… manipuler ?

— Bien sûr que non.

Sa frustration augmenta.

— Si, c'est ce que tu crois. Je le sens dans ta voix.

Arrivés au croisement, ils durent s'arrêter pour attendre que le feu ne passe au vert. Il la regarda et son cœur se serra. Elle avait le visage fermé, sa jolie bouche n'était plus qu'un trait mince, ses lèvres pincées trahissaient son stress.

Il devait la convaincre qu'elle pouvait lui faire confiance. Instinctivement, il posa la main sur son bras.

— Arrête ! cria-t-elle, se dégageant avec brusquerie.

Tournant vivement les talons, elle quitta le trottoir au moment où une voiture passait.

— Eve ! Non !

Il eut juste le temps de passer un bras autour de sa taille et de la tirer en arrière. Elle tremblait de tout son corps, mais il était dans le même état.

— Te rends-tu compte que tu aurais pu être tuée ? dit-il, la fixant d'un air sévère.

Elle soutint son regard.

— Oui ! Et c'est sans doute la meilleure chose qui aurait pu m'arriver.

— Ne parle pas comme ça !

Il la saisit par les deux bras pour l'empêcher de s'échapper et de se remettre en danger.

— Tu as toutes les raisons de vivre. Ne le vois-tu pas ?

— Non, répondit-elle, les yeux pleins de larmes. Si tu veux la vérité, je n'en vois pas l'intérêt si c'est pour me sentir aussi mal.

— Mais tu ne vas pas te sentir comme ça éternellement, dit-il avec douceur.

Et soudain, rien ne lui parut plus important que de la calmer, de la réconforter, de la convaincre qu'elle avait un avenir en lequel espérer. En comparaison, rester éternellement détaché de tout pour respecter ses obligations envers son frère paraissait tout à fait secondaire.

— Un jour, tu ne souffriras plus lorsque tu repenseras à ce qui t'est arrivé. Tu seras capable de le voir comme une expérience qui a contribué à faire de toi la personne que tu es.

Lentement, ses mains descendirent le long de ses bras et il la sentit frissonner. Alors il relâcha son étreinte. Il devait lui faire comprendre que même les pires expériences pouvaient avoir des conséquences positives.

— Tu seras heureuse, Eve. Tu rencontreras quelqu'un qui te traitera comme tu mérites de l'être, tu tomberas amoureuse, tu te marieras et tu fonderas une famille. Tout cela t'attend, il suffit juste d'y croire. Cela arrivera, Eve. Je te le promets.

6.

— Ce thé est froid. Veux-tu que je t'en prépare un autre ?

Eve sursauta. Levant les yeux, elle soupira en lisant l'inquiétude sur le visage de Ryan. Il avait insisté pour la raccompagner chez elle, et elle n'avait pas eu la force de discuter.

Ce qui s'était passé dans la rue l'avait fortement ébranlée. Même dans les moments les plus difficiles, elle n'avait jamais envisagé d'en finir avec la vie. Mais alors, pourquoi avait-elle dit cela ? Etait-ce un appel au secours adressé à Ryan ? Souhaitait-elle qu'il l'aide à se retrouver ?

Avoir besoin de lui ne ferait que compliquer les choses. Il ne voulait pas s'engager. Apparemment, il n'avait pas changé depuis l'époque où ils se voyaient. Même s'il avait le désir de l'aider, elle ne devait pas s'attendre à ce qu'il veuille être plus qu'un ami.

Après tout, elle ne cherchait pas à vivre une histoire d'amour. Elle esquissa un sourire, culpabilisant de lui causer autant de souci.

— Je veux bien, merci. Je ne supporte pas le thé tiède.

Il attrapa la bouilloire.

— Comme si je ne le savais pas ! fit-il en souriant. Pour ce qui est du thé, tu as toujours été aussi capricieuse qu'une diva.

Elle le regarda, surprise.

— Pardon ?

Il rit.

— Allons, tu le sais bien. Combien de fois as-tu refusé de boire la tasse que je t'avais préparée quand nous étions de nuit ? J'avais fini par abandonner et te laisser te débrouiller.

— Tu peux parler ! Tu es exactement pareil pour le café.

Prenant une voix grave, elle l'imita.

— C'est trop fort — ou pas assez — trop chaud, trop sucré… Tu n'arrêtais pas de te plaindre !

Il croisa les bras sur sa poitrine.

— Moi, une diva ? C'est ridicule.

C'était si bon de se rappeler cette époque. Dès leur première rencontre, une réelle complicité s'était instaurée entre eux. Il avait été le grand frère qu'elle avait toujours rêvé d'avoir… Ou, du moins, c'était ce qu'elle s'était dit.

En fait, elle n'avait jamais envisagé quoi que ce fût de romantique entre eux, jusqu'à ce baiser, le soir du réveillon. A présent, elle se demandait pourquoi. Ryan était beau, il avait de l'allure, il était gentil et drôle. Pourquoi ne l'avait-elle jamais considéré comme un petit ami potentiel avant ce soir-là ? Etait-ce parce qu'il avait clairement exprimé qu'il ne tenait pas à s'engager ?

Bien qu'ambitieuse, elle avait toujours souhaité rencontrer un jour l'homme de sa vie et n'avait jamais considéré le mariage comme un obstacle à sa carrière. C'était en partie grâce à sa mère, une brillante avocate qui avait réussi à trouver un équilibre entre son rôle de mère et les exigences de son métier.

Naturellement, son père y avait également contribué. Industriel de premier plan, il avait toujours soutenu et aidé sa femme. Eve avait donc grandi en rêvant de s'accomplir dans sa carrière tout en ayant une vie de famille heureuse. Pour elle, c'était un dû, quelque chose qu'elle avait considéré comme acquis.

Mais, pour cela, il lui fallait trouver quelqu'un qui soit aussi impliqué qu'elle dans leur relation, et Ryan n'avait pas rempli ce critère.

— Tiens. Il est bien chaud, pas trop sucré avec juste un nuage de lait, dit-il en posant un mug de thé devant elle avant de tourner soigneusement une petite cuiller dans le liquide fumant. Et je l'ai remué dans le sens contraire des aiguilles d'une montre.

— Merci.

Elle se força à sourire, comprenant tout d'un coup qu'il s'en était fallu d'un rien pour que Ryan et elle deviennent plus que des amis. Avec le recul, elle se rendait compte que lui aussi l'avait trouvée attirante. Mais alors, pourquoi n'avait-il pas suivi son inclination ? Avait-il pensé qu'il ne pourrait pas répondre à ses exigences, ou bien quelque chose d'autre l'avait-il empêché de le faire ?

Soudain, elle eut besoin de savoir.

— Autrefois, quand nous nous voyions, il n'y a jamais eu la moindre équivoque entre nous, n'est-ce pas ?

— Non. Nous avons toujours été amis, répondit-il.

Il s'assit et entoura son mug de ses mains — des mains qui semblaient si grandes et fortes qu'elle fut assaillie d'une vague d'émotions et eut brusquement envie de les toucher. Le monde ne serait-il pas moins effrayant si Ryan lui tenait la main ?

— Pourquoi ? demanda-t-elle.

Il lui jeta un coup d'œil méfiant qui l'intrigua. A l'évidence, sa question le gênait.

— Je ne te plaisais pas, c'est ça ?

— Non, ce n'est pas ça.

Il resta un moment les yeux fixés sur son mug, comme s'il réfléchissait à la réponse qu'il allait lui donner, et elle retint sa respiration. Tout ce qu'elle voulait, c'était qu'il lui dise la vérité. Elle n'aurait pas voulu qu'il mente sur ce sujet.

— Je crois qu'en réalité, j'ai eu peur, dit-il enfin.

Elle sentit son cœur battre plus vite en voyant l'expression de ses yeux. Il ne lui mentait pas, mais elle n'était plus si sûre d'avoir envie de connaître la vérité. Car, ensuite, il serait trop tard : elle serait obligée d'y faire face.

*
* *

Ryan sentit ses paumes devenir moites. Il n'était pas question qu'il mente à Eve, mais il ne pouvait pas non plus lui dire toute la vérité. S'il lui révélait pourquoi il avait juré de ne jamais se marier, elle chercherait peut-être à lui démontrer qu'il avait tort, et il ne voulait pas se laisser influencer. Il savait ce qu'il avait à faire, il devait absolument s'y tenir.

— Je craignais, s'il se passait quelque chose entre nous, de ne pas atteindre le but que je m'étais fixé, dit-il d'une voix légèrement hésitante.

— Et quel était ce but ?

— Rassembler des fonds au nom de Scott, et éviter à d'autres familles le sort que la mienne avait connu. Je n'avais pas le temps de fréquenter quelqu'un. Je ne l'ai toujours pas, d'ailleurs.

— Je vois. Est-ce pour cette raison que tu es devenu distant après m'avoir embrassée, le soir du réveillon ?

— Oui.

— Mmm. Ton frère aurait-il vraiment souhaité que tu mettes ta vie entre parenthèses à cause de lui ?

C'était une chose à laquelle il avait souvent réfléchi, mais il en revenait toujours à la même chose : pourquoi tomber amoureux et s'attacher à quelqu'un s'il ne pouvait pas prendre le risque d'avoir une famille ?

— Sans doute pas, répondit-il honnêtement. Mais c'est quelque chose dont je ressens le besoin.

Il poussa un long soupir.

— Après la mort de Scott, j'ai cru devenir fou, je me suis mis à faire n'importe quoi. Je pense qu'inconsciemment je défiais la mort pour qu'elle me prenne comme mon frère. Heureusement, je me suis calmé avant qu'un autre drame n'arrive. Mes parents avaient commencé à récolter des fonds, et je me suis engagé auprès d'eux. Cela m'a aidé, d'avoir un objectif. Peut-être que ce sera différent dans quelque temps, qui sait ? Mais pour le moment, c'est important pour moi de trouver de l'argent pour ces défibrillateurs.

— C'est un but très louable, dit-elle doucement.

Son approbation le mit mal à l'aise. Mais, à moins de tout lui raconter, il ne pouvait pas y faire grand-chose.

D'un seul coup, il ressentit un besoin urgent de mettre fin à cette soirée fertile en émotions. Il avait besoin de rentrer chez lui et de rassembler ses idées. Elle avait raison : il avait été attiré par elle dans le passé — tout comme il l'était maintenant. Mais elle méritait bien mieux que ce qu'il pouvait lui donner, elle avait droit à un mariage heureux, une famille unie, tout ce dont une femme pouvait rêver. Il lui serait plus utile comme ami que comme amant.

Ce n'était qu'une maigre consolation. En rentrant chez lui, il se surprit à rêver à ce qu'aurait pu être sa vie sans toutes ces restrictions. Même si Eve n'était pas encore prête pour vivre une nouvelle histoire, il aurait pu attendre. Et une fois qu'elle aurait été prête… ils auraient fait ce que font tous les amants.

Toutes sortes d'images affluèrent à son esprit : il l'embrassait, la caressait, laissait courir ses mains sur elle. Il frissonna de désir, tant son besoin était fort de la toucher, de sentir son corps souple sous le sien.

Il avait fait l'amour à de nombreuses femmes — même si elles n'étaient pas autant que la rumeur le prétendait — mais faire l'amour à Eve… Ce serait très différent. Spécial. Car avec elle, il ne s'agirait pas d'une simple expérience physique. Il n'engagerait pas seulement son corps, mais aussi son esprit. Ce serait l'expérience la plus merveilleuse, la plus remplie de sens qu'il ait jamais connue.

Mais cela n'arriverait pas. Jamais.

Il se secoua. Il le fallait. Pourtant, brusquement, il se sentit terriblement vide. Et seul. Sans Eve dans sa vie, il n'aurait rien, mais, dans le cas contraire, ce serait elle qui souffrirait. Il ne pouvait pas lui faire cela, il ne pouvait pas lui gâcher un avenir qu'elle tentait si difficilement de reconstruire.

S'il l'aimait vraiment, il devait l'aider à se retrouver. Et la laisser partir.

*
* *

Eve raccompagna Daisy Martin et ses parents à la sortie du service pédiatrique. La petite fille allait beaucoup mieux, et elle lui fit signe avant de disparaître dans l'ascenseur.

Mentalement, Eve croisa les doigts, souhaitant ne pas la revoir de sitôt après tout ce qu'elle avait enduré.

— C'étaient les Martin ? demanda Ryan, qui l'avait rejointe.

Il était toujours le même, bienveillant et plein d'égards envers les patients, et drôle avec le personnel. Cependant, elle avait noté un changement chez lui depuis qu'il l'avait raccompagnée chez elle, et cela la chiffonnait.

Elle ne voulait surtout pas qu'il s'inquiète pour elle. Cela ne servait à rien. Justement, depuis ce soir-là, elle allait beaucoup mieux, elle était plus positive et maîtrisait mieux ses émotions. Il lui semblait avoir effectué un grand virage. C'était une sensation si merveilleuse qu'elle eut envie de la partager avec lui. Peut-être ainsi se sentirait-il mieux à son tour.

— Oui, répondit-elle. Les Martin ont l'intention d'aller à la Jamaïque rendre visite à la grand-mère de Daisy. Je pense que c'est une excellente idée. La chaleur lui fera beaucoup de bien.

Il acquiesça en souriant.

— Pour ma part, je ne serais pas non plus contre une quinzaine de jours au soleil. Il faisait glacial hier soir, quand je suis allé courir sur la colline.

— Quand dois-tu participer à cette course ? demanda-t-elle tandis qu'ils regagnaient le bureau.

— Le week-end de Pâques.

— Mais c'est à la fin de cette semaine !

Il fit la grimace.

— Je ne te le fais pas dire. En rentrant chez moi hier soir, je soufflais comme une vieille locomotive. Cela augure mal de mes chances.

— Oh ! je suis certaine que tu y arriveras, dit-elle d'un ton encourageant.

Il esquissa une moue dubitative avant de se concentrer sur l'écran de son ordinateur.

— Bon sang ! fit-il.

— Quelque chose ne va pas ?

— C'est le moins que l'on puisse dire. J'ai un e-mail de Harry Summers, qui ne pourra pas participer à la manifestation de ce week-end. Il a trébuché hier soir aux urgences et s'est fait une méchante entorse.

Il poussa un grognement.

— Ce devait être notre médecin. Si on ne trouve pas quelqu'un pour le remplacer, on ne pourra pas participer.

— Est-ce vraiment nécessaire ? demanda-t-elle. Après tout, vous avez tous une formation médicale.

— Oui, mais notre principal sponsor a insisté pour que nous prenions quelqu'un qui s'occupe uniquement des éventuels blessés. Ils tiennent à être couverts en cas de problème.

— Je suppose qu'ils ont engagé pas mal d'argent ?

— Cinq mille livres, plus cinq mille supplémentaires si nous leur faisons de la publicité après le challenge.

— C'est beaucoup d'argent ! Je comprends qu'ils ne tiennent pas à le perdre.

— Exactement. Il faut absolument que je trouve quelqu'un qui veuille bien sacrifier son week-end…

Il s'interrompit et la fixa.

— Tu ne travailles pas à Pâques, n'est-ce pas ?

— N-non.

— Alors, tu veux bien venir ? Tu me rendrais un immense service. En si peu de temps, je doute de trouver quelqu'un d'autre de libre. Je ne peux pas annuler, ce serait une catastrophe. Tu veux bien, Eve ? S'il te plaît…

7.

Le samedi suivant, à 6 heures du matin, le temps était glacial. Eve piétinait dans l'espoir de ramener un semblant de sensation dans ses doigts de pied engourdis. Ryan lui avait recommandé de porter des vêtements chauds et elle pensait avoir suivi ses conseils, mais, à l'évidence, c'était insuffisant. Si elle attendait longtemps comme ça, elle allait finir avec une pneumonie !

Un bruit de moteur lui fit tourner la tête et elle poussa un soupir de soulagement en voyant un minibus arriver. Ryan venait la chercher en premier, elle pourrait se réchauffer un peu dans le bus, le temps qu'il passe prendre tout le monde.

Il s'arrêta devant elle et sortit du véhicule, le sourire aux lèvres.

— Prête pour le grand voyage ? demanda-t-il en prenant de son sac.

— Tout à fait.

Pendant qu'il rangeait ses affaires dans le coffre, elle s'engouffra dans le minibus et frissonna de plaisir en recevant une bouffée d'air chaud.

— J'allais me transformer en glaçon, dit-elle quand il la rejoignit.

— Il fait froid pour un mois d'avril.

Il la parcourut du regard et fronça les sourcils.

— Tu n'as rien de plus chaud que cette veste ?

— Je crains que non.

Elle se blottit dans son siège, cherchant à s'imprégner de sa chaleur.

— Là où nous allons, cela ne suffira pas, dit-il en faisant demi-tour.

— Où vas-tu ? demanda-t-elle, aussitôt inquiète.

— Te chercher des vêtements chauds, bien sûr.

Il lui sourit.

— On ne va tout de même pas laisser notre médecin remplaçant revenir avec des gelures.

Elle rit, et eut chaud au cœur en voyant la sollicitude dans ses yeux. Il se souciait d'elle, cela se voyait parfois à des petits riens.

— Je doute que nous trouvions des boutiques ouvertes à cette heure de la journée, dit-elle.

— Mais il n'est pas question d'aller faire du shopping, répondit-il en s'engageant dans une rue bordée de magnifiques maisons victoriennes.

Il s'arrêta devant la dernière de la rangée.

— Nous allons faire une descente dans la garde-robe de ma mère. Ce sera beaucoup moins cher.

Avant qu'elle ait eu le temps de protester, il était sur le trottoir. Elle ne savait que penser. Ce n'était pas le fait de porter les vêtements de quelqu'un d'autre. Mais sa famille n'allait-elle pas croire qu'ils étaient ensemble ?

A vrai dire, cette idée ne lui déplaisait pas, et était même plutôt tentante. Mais était-ce parce qu'elle voulait être avec Ryan, ou bien parce qu'elle se sentirait plus « normale » en ayant un petit ami, de surcroît aussi séduisant ? Parce qu'elle serait ainsi comme tout le monde, et non plus une victime ?

— Ryan ! Que fais-tu ici à cette heure de la matinée ?

Eve s'arrêta sur le seuil de la porte de la cuisine, terrassée par la timidité. Aucun doute à avoir : à en juger par leur ressemblance, la personne assise à la table était la mère de Ryan.

Apercevant Eve, elle se leva pour venir à sa rencontre et l'accueillit avec un sourire chaleureux.

— Bonjour ! Vous devez être Eve. Ryan m'a dit que vous aviez accepté de l'aider pour sa manifestation du week-end.

— Euh… Oui, en effet, répondit-elle, lui rendant son sourire.

— On ne peut pas rester longtemps, maman, dit Ryan. Nous devons encore passer prendre les autres, mais nous avons un petit souci…

La question fut rapidement réglée. Patricia Sullivan les entraîna dans une chambre et ouvrit son placard en grand.

— Vous êtes sûre que cela ne vous dérange pas ? demanda Eve en balbutiant. C'est un peu malpoli de débarquer ainsi chez vous pour vous emprunter des vêtements.

Patricia balaya ses scrupules d'un revers de main et l'entraîna avec elle.

— Au contraire, je suis ravie de participer un peu. Ryan se démène tellement pour récolter des fonds…

Elle empila des vêtements sur le lit.

— Il faut penser au froid, mais aussi à la pluie, dit-elle fermement quand Eve protesta qu'elle n'avait pas besoin d'autant d'affaires. Vous ne voulez tout de même pas finir avec une pneumonie ?

C'était exactement ce qu'elle avait pensé et elle se détendit un peu. Elle semblait aussi en accord avec la mère de Ryan qu'avec Ryan lui-même. C'en était même dérangeant, car cela risquait de la mener à un degré d'intimité qu'elle ne pouvait pas se permettre.

Elle aida Patricia à mettre les vêtements dans un grand sac et le porta au rez-de-chaussée, où Ryan les attendait.

Il lui prit le sac des mains en souriant.

— On dirait que maman a encore fait des miracles.

— C'était vraiment gentil de sa part, répondit Eve en se tournant vers Patricia, qu'elle embrassa spontanément sur la joue. Merci infiniment.

— Je suis contente d'avoir pu vous aider, dit Patricia en la serrant contre elle.

Curieusement, Eve ne ressentit aucune panique. C'était un grand pas dans la bonne direction.

Ryan emporta le sac dans le minibus et elle allait le suivre quand Patricia la retint.

— Veillez sur lui, Eve. Je sais qu'il donne l'impression de pouvoir affronter toutes les difficultés de la vie, mais, à l'intérieur, il est toujours blessé. Perdre son frère a été une terrible épreuve pour lui, et je prie pour qu'un jour il soit capable d'aller de l'avant.

— Je ferai mon possible, répondit Eve, la gorge nouée.

— Merci.

Patricia l'étreignit de nouveau, puis les regarda s'éloigner en agitant la main.

Eve lui fit signe à son tour, profondément émue.

Jusque-là, tout avait tourné autour d'elle : son histoire avec Damien, son besoin de reconstruire sa vie… Mais voilà qu'elle avait la possibilité d'aider Ryan. Savoir qu'elle aussi avait quelque chose à lui offrir, que ce n'était pas à sens unique, était gratifiant. Ce serait sûrement bénéfique pour tous les deux de recréer leur… amitié.

Cependant, quelque chose lui disait que cela ne lui suffirait pas toujours. Quant à Ryan, c'était une autre histoire. Elle n'avait aucune idée de ce qu'il ressentait.

Après être passé prendre les autres membres de l'équipe, Ryan fit route vers le nord sans plus attendre. Il voulait couvrir la plus grande partie du trajet à la lumière du jour.

Steve, le compagnon de Marie, ayant proposé de leur servir de chauffeur, Ryan se retrouvait libre de faire ce qu'il voulait et laissa son esprit vagabonder.

Eve s'était comportée avec tant de naturel avec sa mère qu'il y voyait un signe très encourageant, et pas seulement pour elle. Si Eve allait mieux, il irait forcément mieux lui aussi.

— Alors, qu'est-ce qu'on fait une fois arrivés à Fort William ? demanda-t-elle en se penchant sur ses notes.

— Nous avons réservé des chambres pour la nuit dans

une pension de famille, nous nous y rendrons directement pour nous installer et nous préparer.

Elle fronça les sourcils.

— De quel équipement avez-vous besoin pour l'ascension ?

— Il nous faut à chacun un bonnet, des gants, des chaussettes de rechange, un imperméable, des pansements adhésifs et une couverture de survie, fit-il, mourant d'envie de lisser les plis de son front du bout des doigts.

Elle était si jolie quand elle lui souriait, comme maintenant. Il réprima un soupir. Il aurait aimé la faire sourire plus souvent. Seulement, tout en étant désireux de l'aider, il ne souhaitait pas qu'elle s'attache trop à lui, ni avoir l'exclusivité de ses sourires. Même si cela le déprimait, il ne devait pas oublier qu'il n'avait rien à lui offrir.

Il fut heureux que Marie les interrompe. Elle voulait savoir combien de temps il leur faudrait pour atteindre le sommet du Ben Nevis, la montagne la plus haute d'Ecosse, premier des trois sommets qu'ils devaient escalader.

— Environ cinq heures, répondit-il en se tournant pour la regarder.

Au passage, sa cuisse frôla celle d'Eve. Immédiatement, il sentit son corps s'enflammer et réprima un grognement. Comment allait-il vivre les prochaines heures, si un simple contact déclenchait de telles réactions en lui ?

— A quelle heure partons-nous ? demanda Marie, sans se douter de ce qui se passait.

— A 4 heures de l'après-midi. Nous devons être de retour vers 19 heures, car nous aurons ensuite six heures de route avant d'arriver à Scafell.

Il s'écarta légèrement afin de laisser un peu plus d'espace entre Eve et lui. Son corps brûlait toujours et il ne pouvait rien y faire.

— C'est le meilleur parcours, dit-il. Nous commençons par la plus haute montagne, tant que nous sommes encore dispos.

— Cela paraît sensé. Mais je ne suis pas certaine de

penser la même chose après l'effort, dit Marie d'un ton désabusé.

Il rit. Lui aussi appréhendait cette ascension. A cause de la pression à l'hôpital, il n'était pas suffisamment entraîné. Il aurait détesté devoir lâcher l'équipe — et lâcher Eve.

Avec un soupir, il se tourna vers elle et sentit, malgré ses yeux fermés, qu'elle ne dormait pas. Etait-elle aussi tendue que lui ? Mais pourquoi ? Parce qu'elle était en contact avec un homme en général, ou bien parce qu'il s'agissait de lui en particulier ? Etait-elle aussi consciente de sa présence qu'il l'était de la sienne ?

Il savait qu'elle était attirée par lui, et c'était la dernière chose qu'il souhaitait, car cela ne pouvait les mener nulle part.

Désespéré, il ferma les yeux à son tour. Il avait beau savoir ce qu'il avait à faire, sa tête et son cœur l'entraînaient dans des directions opposées. S'il avait écouté son cœur, il aurait courtisé Eve, jouissant de chaque instant passé avec elle. Mais ensuite, il serait si profondément attaché à elle qu'il ne voudrait jamais se libérer !

Prenant une profonde inspiration, il décida de renforcer ses défenses. C'était la seule solution.

La pension se trouvait dans les faubourgs de Fort William. Eve suivit Ryan à l'intérieur.

La propriétaire, une sexagénaire avenante, les accueillit aimablement avant de leur faire signer un vieux registre et de tendre plusieurs clés à Ryan.

— Je vous laisse vous organiser entre vous. Il y a du thé et du café dans chaque chambre, n'hésitez pas à vous servir. Je vous ai aussi laissé une liste de pubs et de restaurants, si vous voulez manger en ville ce soir. Le petit déjeuner est servi de 7 heures à 9 heures.

— 7 heures, ce sera parfait, dit Ryan.

Lorsque Mme Mackinnon les eut laissés, ils se répartirent par paires. Naturellement, Marie et Steve partageaient la même chambre, comme Penny Groves et Tamsin Brown, deux collègues infirmières. Jack Williams et Owen Archer, les deux internes, étaient également ensemble.

Il ne restait plus que Ryan et elle. A la perspective de se retrouver dans la même chambre que lui, elle se sentit toute retournée. Il dut remarquer son embarras, car il alla frapper à la porte du bureau de Mme Mackinnon et lui expliqua le problème.

— Auriez-vous une chambre supplémentaire ? Eve est une remplaçante et elle préférerait avoir sa propre chambre.

— Je regrette, toutes mes chambres sont louées pour la nuit. Et je doute que vous trouviez de la place dans une autre pension, c'est Pâques.

Naturellement, personne ne voudrait changer de place, se dit Eve.

— Je vais dormir dans le bus, comme ça tu auras la chambre pour toi, lui dit Ryan. Et il est inutile de protester. Tu m'as rendu service, c'est donc tout à fait normal. Je serai très bien dans le minibus.

Cela, elle en doutait fortement. Comment l'imaginer, plié entre les sièges, avec son grand corps ?

Penny les rejoignit, l'air penaud.

— Vous n'allez pas me croire. J'ai oublié mes chaussures de marche.

Ryan éclata de rire.

— Ce sont des choses qui arrivent. Je peux vous emmener en ville en acheter d'autres, si vous voulez.

— Vraiment ? fit Penny, ravie.

Son sourire s'élargit quand elle vit passer Jack.

— Ryan propose de m'emmener en ville acheter des chaussures, vous voulez venir ?

— Volontiers, répondit Jack, souriant à son tour.

A en juger par le regard que ces deux-là échangeaient, Eve aurait juré qu'il y avait quelque chose entre eux.

Cette pensée la déprima. Habituellement, cela ne la dérangeait pas de voir des couples heureux, mais, aujourd'hui, c'était différent. Lorsque Ryan lui proposa de les accompagner, elle déclina la proposition : elle n'avait aucune envie de tenir la chandelle. Naturellement, si elle et Ryan avaient été ensemble, cela aurait été différent.

Elle se secoua et monta dans sa chambre défaire son sac : affaires de toilette, dessous, et pull pour sortir dîner.

S'asseyant sur le lit, elle soupira. Inutile de se mentir : former un couple avec Ryan était une perspective beaucoup plus séduisante qu'elle ne l'aurait cru. Elle s'imaginait avec lui, sortant et s'amusant ensemble. Ils auraient aussi très bien pu s'amuser à l'intérieur !

Une vague de chaleur lui parcourut le corps, et elle fut très étonnée de ne plus être terrifiée à l'idée de partager l'intimité de quelqu'un. Avait-elle surmonté une grande partie de son problème ? Elle l'espérait de tout son cœur. Elle voulait être capable de se tourner vers le futur sans se sentir salie par le passé.

A l'évidence, c'était Ryan qui avait déclenché le processus de guérison. Ferait-il partie de son avenir ? Rien n'était moins sûr.

Prenant sa trousse de toilette, elle disposa ses affaires sur l'étagère de la salle de bains. Mieux valait se concentrer sur des choses concrètes plutôt que de rêver à un futur qui ne se matérialiserait probablement jamais. C'était l'erreur qu'elle avait commise avec Damien : elle avait imaginé la vie merveilleuse qu'ils pourraient avoir et était restée accrochée à son rêve, longtemps après qu'il eut été évident qu'il ne se réaliserait pas. Elle n'allait pas recommencer pour se retrouver avec une vie en miettes.

8.

Le soir, toute la petite troupe décida d'aller dîner au pub, à quelques pas de la pension. Cela leur évitait de prendre le minibus.

Il faisait encore très froid, beaucoup plus froid que ne l'avait escompté Ryan. Inquiet pour la suite des événements, il préféra ne rien dire pour ne pas gâcher l'atmosphère. Si le guide qu'il avait réservé émettait des réserves, il annulerait l'ascension, en espérant que leurs sponsors seraient toujours là pour les soutenir à leur prochaine tentative.

— La première tournée est pour moi, annonça-t-il en souriant.

Ils étaient tous assis autour de la table et il s'efforça de ne pas laisser son regard s'attarder sur Eve, mais c'était impossible. En fait, il la buvait des yeux : elle était adorable, avec son pull moelleux, couleur pêche, qui soulignait doucement ses formes, et son jean délavé recouvrant ses jolies jambes. Elle avait de nouveau lâché ses cheveux, et il dut résister à l'envie de les caresser. Tout en elle était douceur, gentillesse et féminité. Et, malgré tous ses efforts, il ne pouvait s'empêcher d'être sous le charme.

— Allô, Ryan ! Est-ce que vous me recevez ?

Il sursauta. Marie le tapotait énergiquement sur le bras.

— Désolé, j'étais perdu dans mes pensées…

— Ah, oui, vraiment ? dit-elle en jetant un coup d'œil appuyé du côté d'Eve.

Mieux valait changer rapidement le cours de la conversation.

— Alors, Marie, qu'est-ce que vous prenez ? Vous semblez avoir besoin d'un rafraîchissement alcoolisé.

Il nota les commandes et se rendit au bar. La jeune et jolie serveuse proposa de leur apporter les boissons, et il prit au passage quelques menus.

— Choisissez ce qui vous plaît, dit-il en se rasseyant à table.

Eve lui sourit quand il lui tendit un menu et il sentit son cœur fondre. Mais il était ridicule de penser qu'il avait droit à un traitement spécial. Après tout, elle avait le même sourire pour Jack et Owen.

Cela le refroidit. Il passa sa commande à la serveuse quand elle leur apporta les boissons, et répondit presque machinalement lorsqu'elle se mit à flirter avec lui.

Tamsin s'esclaffa lorsqu'elle s'éloigna, visiblement à contrecœur.

— On dirait que vous n'avez toujours pas perdu la main, Ryan. Et vous, les garçons, prenez-en de la graine ! fit-elle en se tournant vers Jack et Owen. Cela pourrait vous servir un jour.

Tout le monde éclata de rire, y compris Ryan qui dut se forcer un peu. Eve riait aussi, mais quelque chose lui dit qu'elle ne trouvait pas cela drôle. Parce que cela lui rappelait la conduite de son ex ? Il avait la réputation d'être très coureur, lui aussi. Ryan ne pouvait pas supporter d'avoir la moindre chose en commun avec cet homme. Peut-être était-ce ainsi qu'Eve le voyait ?

Cette pensée l'obséda pendant tout le dîner. La cuisine était bonne, mais il remarqua à peine ce qu'il mangeait. Ce fut un soulagement lorsque tout le monde eut terminé et décida de retourner à la pension. Eve marchait en tête avec Tamsin et Marie, et il n'eut pas l'occasion de lui parler. Penny et Jack traînaient derrière. A coup sûr, ils feraient l'objet de nombreuses taquineries le lendemain matin. Et cela n'avait pas l'air de les préoccuper particulièrement.

Pourvu qu'Eve atteigne un jour ce stade, où aucun commentaire sur sa relation avec un homme ne l'affecterait ni ne réveillerait de terribles souvenirs. En attendant, elle n'était jamais totalement libre du passé, et cela pouvait durer encore des années. Elle ne méritait pas cela, vraiment pas.

Lorsqu'ils arrivèrent devant la pension, Ryan s'était attardé en arrière. Mieux valait éviter les questions embarrassantes des autres s'ils découvraient qu'il prévoyait de dormir dehors.

Il attendit que Penny et Jack soient rentrés avant de rouvrir le minibus, salué par une bouffée d'air froid. Dormir là n'avait rien d'enthousiasmant, mais il survivrait. Et il valait mieux cela que de perturber Eve.

Eve se tournait et se retournait depuis une heure dans son lit, sans résultat : impossible de dormir. Elle ne cessait de penser à Ryan. Il faisait très froid, il allait geler dans ce bus. Or il avait besoin d'une bonne nuit de sommeil pour relever son défi. S'il abandonnait pour cause d'épuisement, elle ne se le pardonnerait jamais !

N'y tenant plus, elle sauta du lit, enfila sa veste par-dessus son pyjama, et sortit. Aucun bruit ne parvenait des autres chambres.

Dehors, elle aperçut une lumière dans le minibus et soupira, se sentant plus coupable que jamais. De toute évidence, Ryan ne dormait pas.

Elle monta à l'intérieur et le vit, pelotonné sur une rangée de sièges. Il était tout habillé et avait même ajouté plusieurs épaisseurs de vêtements pour tenter de faire barrage au froid.

Quand il l'entendit, il se redressa et la regarda, surpris.

— Eve ! Que se passe-t-il ? Tu as un problème ?

— Non. Je n'arrive pas à dormir parce que je m'inquiète pour toi, dit-elle sans détours. Ce n'est pas juste, Ryan. Tu as besoin de te reposer si tu veux être en forme demain.

— Tout va bien, répondit-il d'un ton peu convaincu.

— C'est ridicule ! Tu ne peux pas rester ici, il fait beaucoup trop froid et ce n'est pas confortable.

— Qu'est-ce que tu proposes ? Que nous échangions nos places ? Pas question. Je ne te laisserai pas faire ça.

— Dans ce cas, il ne nous reste plus qu'à nous comporter comme des adultes et à partager la chambre.

— Pardon ?

Il eut l'ait si choqué qu'elle eut un bref instant de doute. Mais non, c'était la seule solution sensée.

— Tu as bien entendu. Nous allons partager la chambre. Ce sont des lits jumeaux, nous ne serons donc pas vraiment ensemble.

Déjà, elle s'éloignait.

— Je laisse la porte ouverte pour toi.

Elle regagna la chambre à la hâte et se recoucha. Ryan et elle étaient amis. Ce serait bien le diable s'ils ne parvenaient pas à partager la même pièce pendant une nuit !

Un craquement de parquet la fit sursauter, et Ryan apparut.

— Tu es vraiment sûre de le vouloir, Eve ?

En fait, elle n'avait jamais envisagé de partager une chambre avec lui, ni avec un autre homme. Cette idée la terrifiait. Mais s'il ratait son défi à cause d'elle, elle le regretterait toujours.

— Tout à fait, répondit-elle avec aplomb. Sinon, je ne te l'aurais pas proposé.

— Dans ce cas… Merci.

Il commença à se déshabiller, et fut vite en T-shirt. Troublée, elle laissa son regard errer sur son dos musclé. Cela faisait bien longtemps qu'elle ne s'était pas retrouvée dans une chambre avec un homme portant le minimum de vêtements !

Roulant sur le côté, elle ferma les yeux, décidée à ne plus le regarder. Mais il lui restait ses autres sens… Elle l'entendit retirer ses chaussures, puis son pantalon. C'était encore pire sans le voir, car son imagination prenait le relais.

Allait-il dormir complètement nu ? Beaucoup d'hommes préféraient ne rien porter au lit. Ryan était-il l'un d'eux ?

Elle enfouit son visage dans l'oreiller pour résister à la tentation de se le représenter dans le plus simple appareil. Mais elle se rappelait sa longue silhouette, ses larges épaules, son torse puissant, ses hanches étroites et ses cuisses…

— Bonne nuit, Eve, dit-il. Dors bien.

Roulée en boule sur le côté, elle fit de son mieux pour ignorer la vague de chaleur qui la submergeait. Il *fallait* qu'elle dorme, au moins pour ne plus avoir ces images devant les yeux.

Elle entendit un froissement de drap et étouffa un grognement. Jamais elle ne parviendrait à s'endormir avec Ryan couché à un mètre à peine.

Il poussa un long soupir.

— Ça ne marchera pas, Eve. C'était stupide de le croire.

Le sommier craqua et il fut debout.

— Je vais retourner dans le bus. Au moins, toi, tu pourras dormir.

— Pas question ! répondit-elle en s'asseyant pour allumer la lampe.

Ryan n'était pas nu, mais le slip qu'il portait laissait peu de place à l'imagination.

— Tu ne dormiras pas dans le bus, dit-elle avec détermination. Je suis désolée, mais… Je ne me suis plus trouvée dans une chambre avec quelqu'un depuis…

Elle s'interrompit, incapable de continuer.

— Je comprends tout à fait, Eve.

Il vint s'asseoir sur le bord de son lit. Il y avait une telle douceur dans son regard qu'elle sentit les larmes lui monter aux yeux. Personne ne s'était intéressé à ce qu'elle ressentait depuis longtemps.

— Ne pleure pas… Je m'en veux de t'avoir bouleversée.

— Ce n'est pas toi, c'est cette situation. Je voudrais tellement être capable de réagir autrement…

— Mais tu as fait des progrès. Ce matin, tu as embrassé ma mère. C'est un grand pas en avant, non ?

— Oui, c'est vrai, dit-elle lentement. Je ne l'aurais jamais fait il y a seulement quinze jours.

— Exactement.

Du bout des doigts, il essuya ses larmes et lui sourit.

— Eve… Tu as beaucoup progressé, je suis fier de toi. Je sais qu'un jour tu viendras à bout de tout ça, et je serai là pour m'en réjouir avec toi.

— Tu es vraiment gentil, Ryan, dit-elle d'une voix tremblante d'émotion. Je ne sais pas pourquoi tu veux m'aider, mais je te remercie.

— C'est tout simple : parce que nous sommes amis et que tu comptes pour moi. A présent, j'ai une suggestion qui pourrait nous permettre à tous les deux de trouver le sommeil. Mais je ne suis pas certain qu'elle te plaise, aussi je te demande d'être franche avec moi.

— Qu'est-ce que c'est ? demanda-t-elle prudemment.

— Essayons de dormir ensemble, dans le même lit. Seulement *dormir,* évidemment. De cette façon, chaque fois que je bougerai, tu ne te demanderas pas ce que je fais en craignant le pire !

Il rit et elle se surprit à faire de même.

— Sauriez-vous lire dans mes pensées, docteur Sullivan ?

— Je te promets de ne rien tenter, dit-il, redevenant sérieux. Alors, qu'en penses-tu ?

Elle se mordit la lèvre, puis se décida.

— On peut essayer. Si cela ne marche pas, tu pourras toujours retourner dans ton lit.

Il souleva la couette et se glissa à côté d'elle. Quand il la frôla, elle sentit son corps se crisper.

Mais c'était Ryan, il ne lui ferait jamais de mal. Au bout d'un moment, elle réussit à se détendre. Fermant les yeux, elle laissa son esprit vagabonder, surprise de ressentir un tel confort. Etre allongée près de lui n'était pas du tout effrayant. Au contraire, elle se sentait merveilleusement bien, en sécurité. Il lui semblait être de nouveau *elle-même.*

*
* *

Il était 6 heures du matin et le soleil pénétrait déjà par la fenêtre. Ryan s'étira langoureusement. Il n'aurait jamais cru se sentir aussi bien après une nuit dans le bus…

D'un seul coup, il recouvra ses esprits et ouvrit grand les yeux. Il lui fallut encore une seconde pour réaliser ce qu'il voyait à côté de lui : la nuque d'Eve exposée, sans défense, ses cheveux blond-roux répandus sur l'oreiller. Comme il aurait voulu pouvoir poser les lèvres sur sa peau douce, et la réveiller à la chaleur de ses baisers… Et quelle n'aurait pas été sa réaction !

Il étouffa un grognement. Elle lui avait fait confiance, cette nuit. Elle avait de nouveau fait un tel pas en avant qu'il ne tenterait rien qui puisse lui faire perdre cette confiance. Sortant du lit avec précaution, il se dirigea vers la salle de bains. Une douche froide lui ferait le plus grand bien.

Dix minutes plus tard, rafraîchi, il regagna la chambre. Eve était réveillée et il se félicita d'avoir pris la plus grande serviette : l'eau froide avait malheureusement sur lui des effets très passagers.

— Bonjour, Eve. J'ai le plaisir de t'annoncer que nous avons une merveilleuse matinée, dit-il en ouvrant les rideaux. C'est une journée parfaite pour grimper.

— Tant mieux.

Elle s'assit et, rejetant ses cheveux en arrière, les attacha avec un élastique. Ryan se retint juste à temps de protester. Il n'avait pas à faire de commentaires sur sa coiffure. Amis, ils étaient, amis ils devaient rester, même si son corps n'était pas emballé par cette idée.

D'ailleurs, la douche froide n'était déjà plus qu'un souvenir, aussi prit-il fébrilement son sac.

— Je retourne dans la salle de bains le temps de m'habiller. Ce ne sera pas long.

Une fois seul, il s'appuya contre la porte, soulagé. Heureusement, il y avait peu de chances qu'elle ait remarqué pourquoi il avait effectué une sortie aussi précipitée.

Il enfila son T-shirt. S'il s'était agi d'une réaction purement physiologique, il l'aurait gérée sans problème, mais il savait au fond de lui qu'il y avait autre chose.

Ce n'était pas seulement le physique d'Eve qui l'attirait, mais aussi ce qu'elle était : une femme courageuse, humaine et drôle, qui lui volerait son cœur s'il n'y prenait pas garde.

Prenant une profonde inspiration, il finit de s'habiller. Il fallait qu'il soit fort et qu'il résiste : avant tout, il devait la protéger. Tomber amoureux d'elle, ou la laisser tomber amoureuse de lui était *la* chose à ne pas faire. Cela risquait de ruiner de nouveau sa vie.

9.

Après le petit déjeuner, ils descendirent les bagages et payèrent la note. Ryan insista pour régler la chambre en entier, ce qui mit Eve mal à l'aise. Certes, il voulait lui témoigner sa reconnaissance pour avoir remplacé Harry Summers à la dernière minute, mais elle se demanda ce que le reste du groupe devait en penser.

Personne n'avait fait de commentaire quand Ryan et elle avaient partagé la chambre, mais ils devaient se poser des questions sur leur relation.

Tout le monde rangea ses affaires dans le minibus, puis ils chargèrent des tonnelets d'eau à l'arrière. Mme Mackinnon leur avait permis de les remplir dans sa cuisine. Eve se demandait bien pourquoi il y avait besoin d'une telle quantité, et elle interrogea Ryan.

— On se déshydrate énormément en altitude, répondit-il en refermant les portières du minibus. Chacun emporte ses bouteilles, c'est plus pratique de procéder ainsi. Il faudra faire aussi des provisions d'eau pour la prochaine manifestation de cette année, au Sahara.

— Tu en organises encore une ! dit-elle tandis qu'ils montaient dans le véhicule.

— Je l'espère.

Elle s'installa près d'une fenêtre et il s'assit à côté d'elle.

— Ce n'est pas encore finalisé, principalement à cause des troubles dans la région. Espérons que le calme reviendra bientôt.

Aussitôt, elle fut inquiète. Elle ne pouvait supporter qu'il se mette ainsi en danger. Mais avait-elle le droit de s'exprimer sur ce sujet ? Finalement, elle ne dit rien.

Tout le monde était d'excellente humeur et bavardait avec entrain quand ils arrivèrent au centre d'accueil du Glen Nevis, où ils devaient retrouver leur guide.

Pendant le déjeuner, Steve avait annoncé qu'il retournerait à Fort William avec le minibus une fois l'équipement débarqué. Il avait besoin de sommeil, car il devrait conduire toute la nuit.

Quand ils eurent tout déchargé, Ryan se tourna vers Eve.

— Il voudrait mieux que tu repartes avec Steve, dit-il. Le centre d'accueil ferme à 5 heures de l'après-midi à cette époque de l'année, ce n'est pas la peine que tu restes à attendre dans le froid. Nous pensons être de retour vers 9 heures, tu pourras nous rejoindre à ce moment-là.

— Et s'il y a un accident ? protesta-t-elle. C'était inutile que je vienne si je ne suis pas là quand on a besoin de moi.

— S'il se passe quoi que ce soit, j'appellerai Steve et il te ramènera. Tom Fraser m'a assuré que certains portables fonctionnaient mieux que d'autres et qu'il pourrait appeler au secours si nécessaire.

Elle était déçue d'être d'aussi peu d'utilité, et il dut s'en apercevoir.

— Tu ne t'en tires pas aussi bien que tu le crois, dit-il avec un petit sourire. Steve et toi serez chargés de préparer de bonnes choses à manger pour notre retour. J'espère que tes talents de cuisinière suffiront à satisfaire six grimpeurs affamés.

— Je ferai de mon mieux, répondit-elle en riant. Je crains cependant d'être assez limitée. Que diriez-vous d'un plat de nouilles ?

Il secoua la tête d'un air désespéré.

— Ça ne va pas le faire du tout.

Ils éclatèrent de rire et Marie, qui passait près d'eux, leur sourit.

— Mmm. Je commence à me demander si l'accident de

Harry n'était pas prémédité, fit-elle. Vous avez l'air d'être très bien ensemble, tous les deux.

Elle s'éloigna avant qu'ils n'aient pu réagir. C'était justement ce qu'Eve avait craint : que le reste du groupe commence à s'interroger sur Ryan et elle.

— Désolé, dit-il. Marie n'a pas de mauvaises intentions, mais elle a tendance à tirer des conclusions un peu hâtives.

— Il fallait s'y attendre, dit-elle avec une gaieté forcée.

— Probablement. Mais je ne voudrais pas que tu te sentes mal à l'aise si certains pensent que nous sommes ensemble. Si c'est le cas, je ferai en sorte que les choses soient claires.

— Je doute qu'ils te croient après la nuit dernière. Nous avons dormi dans la même chambre.

— Mais il ne s'est rien passé.

Il lui toucha la main, et sa voix était sincère.

— Merci de m'avoir fait confiance, Eve. Cela signifie beaucoup pour moi.

— Merci de m'avoir donné confiance en toi, répondit-elle avec la même sincérité.

Elle plongea son regard dans le sien, et, d'un seul coup, ce fut comme si un énorme poids de peur venait de s'envoler.

— C'était important pour moi aussi, Ryan.

— J'en suis heureux.

Il allait enchaîner quand une vieille voiture cabossée s'arrêta sur le parking. Un grand homme aux cheveux d'un roux flamboyant en sortit d'un bond et s'avança vers eux.

— Docteur Sullivan ? demanda-t-il en roulant les *r* à la manière écossaise. Je suis Tom Fraser, votre guide.

Ils se serrèrent la main et se concentrèrent aussitôt sur l'ascension. Eve s'écarta discrètement, les laissant à leur discussion. Elle se sentait toute bizarre — comme si quelque chose de capital venait de se produire en elle.

Se mordant la lèvre comme à son habitude, elle regagna le bus et demanda à Steve de la ramener à Fort William.

La peur qu'elle portait en elle depuis si longtemps avait soudainement disparu. Ne plus sentir ce poids qui l'épuisait mentalement était étrange. Pour la première fois depuis des années, elle se sentait libre. Se débarrasser des contraintes qui avaient pesé sur sa vie était à la fois grisant et légèrement inquiétant.

Elle jeta un regard par-dessus son épaule, et sentit son cœur fondre en voyant Ryan. C'était lui, le responsable du changement qui venait de s'opérer en elle, et elle lui en serait à jamais reconnaissante. Elle n'était peut-être pas encore redevenue complètement la personne qu'elle avait été, mais elle s'en rapprochait de plus en plus. Un jour, elle se retrouverait.

Ryan serait-il encore là pour assister à cette métamorphose ? Elle l'espérait de tout son être. Mais elle ne devait pas lui donner son cœur. Après l'avoir vu flirter avec la serveuse, il était clair qu'il aimait toujours s'amuser. Croire qu'il était maintenant prêt à s'engager aurait été une erreur.

Elle soupira. Elle aurait pu être comblée, avec Ryan dans sa vie, mais ce n'était rien de plus qu'une chimère.

Comme Ryan s'y attendait, l'ascension fut très difficile, malgré sa préparation. Il s'efforçait de suivre Tom Fraser, lancé à la conquête du Ben Nevis, et les muscles de ses mollets lui faisaient mal. Le reste du groupe était maintenant silencieux, chacun gardait son souffle pour la montée.

Lorsque enfin ils atteignirent le sommet, ils s'arrêtèrent pour admirer la vue qui s'offrait à eux. Ils étaient entourés de montagnes, et la plupart des sommets étaient recouverts de neige — y compris le Ben Nevis.

Tout le monde poussa des exclamations émerveillées, mais Ryan était si ému par le paysage qu'il ne put articuler un son. Ces montagnes se dressaient là depuis des milliers d'années, et cela ne faisait qu'accentuer le sentiment, qu'il avait depuis la mort de Scott, de la brièveté de l'existence humaine. Il aurait pu partager ce moment avec son frère, s'imprégner avec lui de la magnificence éternelle de la vue.

A cet instant, il eut comme une révélation. Avait-il raison de mener la vie qu'il avait choisie ? Même s'il risquait de transmettre le gène responsable du LQTS, il devait y avoir un moyen de s'en sortir. D'autres couples le faisaient, pourquoi pas lui ? S'il pouvait accepter l'idée qu'un problème apparaisse quand il concevrait un enfant — et s'y préparer… Alors, il pourrait avoir tout ce dont il avait toujours rêvé : une femme à aimer et, un jour, une famille.

Fermant les yeux, il poursuivit son rêve. En fait, il ne voulait pas n'importe quelle femme. Il voulait *Eve.* Il voulait vivre avec elle, l'aimer, avoir des enfants d'elle, et vieillir avec elle. Peut-être un jour auraient-ils même des petits-enfants, et il les imaginait eux aussi ; il pouvait presque les entendre rire. C'était si net que, pendant un moment, il faillit croire que c'était possible — avant de recouvrer son bon sens.

Il ne pouvait pas faire vivre Eve dans la crainte que leur enfant ait hérité de cette maladie génétique. Il ne pouvait décemment pas lui imposer ce stress. Aucune femme ne devait connaître une telle épreuve, et Eve encore moins qu'une autre. Pas après tout ce qu'elle avait traversé.

Le cœur lourd, il détourna son regard du magnifique panorama.

— Bon, il est temps de redescendre si nous ne voulons pas perdre trop de temps, dit-il d'un ton abrupt.

Sans attendre les réactions, il emboîta le pas à Tom. C'était sûrement cette vue qui avait déclenché ce trop-plein d'émotions en lui. En fait, il devait continuer à poursuivre le même but, il n'était pas question qu'il change d'avis, pour quelque raison que ce fût. Ni pour qui que ce fût.

A leur retour, Eve et Steve les attendaient. Ils avaient préparé des mugs de chocolat chaud, que tout le monde but avidement. Tom les quitta presque aussitôt, manifestement pressé de rentrer chez lui. Eve fit dorer du bacon sur le réchaud de camping, en fourra des petits pains et les enveloppa dans un film transparent pour qu'ils puissent être emportés dans le bus.

— Ça sent bon, merci, lui dit Ryan, s'efforçant de sourire.

Mais à l'intérieur, il se sentait encore à vif. Plus rien ne devait importer pour lui que de la protéger.

En montant dans le minibus, il fit exprès de s'asseoir à côté d'Owen. Car, s'il devait passer six heures d'affilée près d'Eve, il ne se débarrasserait jamais de ses idées folles.

Malgré elle, Eve fut blessée que Ryan choisisse de s'asseoir près d'Owen. Avait-elle fait quelque chose ? Elle se glissa sur le siège à côté de Tamsin. Puis elle se rassura. Ryan voulait probablement discuter de la deuxième partie du défi avec Owen, c'était aussi bête que cela.

Elle mangea son sandwich au bacon, puis, lorsque Steve eut éteint les lumières à l'intérieur du bus, essaya de dormir. Presque tout le monde somnolait déjà, mais Ryan veillait toujours, elle le savait. Elle l'entendait bouger de temps en temps, cherchant sans doute une position plus confortable. Décidée à l'ignorer, elle se pelotonna dans la veste polaire que Patricia Sullivan lui avait prêtée et chercha le sommeil, mais c'était impossible. Chaque fois qu'il bougeait, elle tressaillait. Pas moyen de le chasser de son esprit.

Se forçant à garder les yeux fermés, elle finit par s'assoupir. Pour se réveiller en sursaut lorsque le bus fit une violente embardée. Les bagages rangés dans les filets se retrouvèrent pêle-mêle dans l'allée.

Steve ralluma les lumières et elle croisa son regard effaré.

— Désolé, les amis, dit-il d'une voix forte. Il y a une voiture en travers de la route, j'ai dû faire un écart pour l'éviter. On dirait qu'elle a eu un accident.

Ryan réagit immédiatement.

— Allons voir s'il faut leur venir en aide, dit-il.

Il se précipita dans l'allée avec la sacoche médicale, et tout le monde le suivit. Une voiture était couchée au milieu de la route. Eve eut un frisson d'appréhension en imaginant ce qui se serait passé si Steve n'avait pas eu d'aussi bons réflexes.

Ils étaient cinq à l'intérieur de la voiture : un jeune couple à l'avant, une femme d'un certain âge et deux petits enfants à l'arrière. La femme était à moitié couchée sur la petite fille. On entendait les enfants crier, mais les adultes ne bougeaient pas. Ils étaient soit inconscients, soit en état de choc.

Ryan prit la tête des opérations.

— Steve, appelez les urgences. Indiquez notre position grâce au satellite. Nous leur donnerons plus de précisions sur les blessés quand nous les aurons examinés.

— Entendu !

Steve regagna le bus en courant, tandis que Ryan et Jack tentaient d'ouvrir les portières de la voiture. Mais c'était une fermeture centralisée.

— Il faut réveiller le conducteur, dit Ryan, montrant aussitôt l'exemple en cognant contre la vitre.

Au bout de quelques secondes, l'homme se redressa et regarda autour de lui.

— Débloquez les portières ! lui cria Ryan.

Eve poussa un soupir de soulagement lorsque la voiture fut ouverte. Pendant que Ryan et Jack s'occupaient du conducteur, elle ouvrit la portière arrière et sourit au petit garçon attaché sur son siège. Il devait avoir deux ans et avait l'air absolument terrifié.

— Ce n'est rien, mon ange. On va te sortir de là et tu te sentiras mieux.

Glissant une main derrière sa tête, elle vérifia qu'il n'y avait pas de gonflement, signe d'un traumatisme crânien, et fut soulagée de ne rien trouver. Le siège auto avait apparemment rempli sa mission et lui avait épargné de sérieuses blessures.

Elle le détacha avec précaution et Ryan, qui l'avait rejointe, l'aida à l'extraire du véhicule.

— Je vais l'emmener dans le bus pour poursuivre mon examen, dit-elle.

— Parfait. Nous devons sortir la femme avant de pouvoir examiner la fillette. Peux-tu demander à Steve de venir ? Jack et Owen sont occupés avec le conducteur et la passagère avant. Elle n'est pas très en forme.

Eve hocha la tête et passa le message à Steve en regagnant le bus. Marie l'aida à installer confortablement le petit garçon sur le siège avant et Eve vérifia qu'il n'y ait pas de fractures des bras ou des jambes, ni de gonflement dans le ventre pouvant indiquer d'une hémorragie interne.

A présent, l'enfant ne pleurait plus. Il resta tranquillement allongé pendant qu'elle l'examinait.

— Tu es un gentil petit garçon, lui dit-elle en souriant. Peux-tu me dire comment tu t'appelles ?

— Finlay.

— Quel joli prénom !

Elle lui ébouriffa ses boucles brunes, heureuse de constater qu'il n'avait pas de blessure grave.

— Moi, je m'appelle Eve et cette dame, c'est Marie. Elle s'occupera de toi pendant que je vais aider ta sœur. D'accord ?

La femme âgée était maintenant allongée sur le sol, inconsciente. Son teint ne lui disait rien qui vaille.

Ryan secoua la tête.

— Le pouls est très rapide et elle ne respire pas bien. Il faut qu'elle soit transportée d'urgence à l'hôpital.

Pendant que Steve passait l'appel, Eve aida Ryan à poser une minerve.

— Je crains un hémothorax, dit-il. Elle a pu se casser une côte en heurtant le siège auto et, s'il y a du sang dans la cavité pleurale, ce n'est pas bon pour le poumon. Elle a besoin d'être sous moniteur.

Il donna des instructions à Penny et se tourna vers Eve.

— Maintenant, au tour de la petite fille. A propos, comment va le garçon ?

— Bien, répondit-elle en souriant. Il a réussi à me dire son prénom.

— C'est bon signe.

Ryan lui rendit son sourire et un flot de chaleur la pénétra quand elle vit son regard empreint de tendresse. A cet instant, elle fut certaine qu'elle comptait pour lui, et pas seulement en tant qu'amie. Elle eut le cœur plus léger, et en même temps se sentit si pleine de toutes sortes d'émotions que, pendant un bref instant, elle fut tout étourdie. Ce n'était pas le moment de s'abandonner, mais, quand ils auraient fait tout ce qu'ils pouvaient pour les blessés, elle prendrait le temps d'y réfléchir.

Un sentiment de joie s'empara d'elle quand elle aida Ryan à sortir la petite fille de la voiture. Peut-être ne lui faudrait-il pas aussi longtemps qu'elle le craignait pour s'affranchir de son passé, si elle avait Ryan l'y aidait.

10.

Les secours étaient intervenus remarquablement vite, mais le petit groupe avait tout de même une bonne heure de retard sur son planning. Ryan échangea encore quelques mots avec les auxiliaires médicaux qui emmenaient le conducteur et les enfants à l'hôpital, puis regagna le bus. Les deux femmes avaient déjà été transportées en hélicoptère, leurs blessures étant beaucoup plus sérieuses.

— Nous pouvons repartir, dit-il. La police a mon téléphone et me contactera plus tard pour prendre ma déposition. Ils ont aussi promis de nous donner des nouvelles de la famille.

L'accident avait refroidi l'ambiance dans le bus, mais il fallait espérer que cela n'affecterait pas leur performance. Ils avaient travaillé dur pour atteindre ce niveau et ne pouvaient pas se permettre d'échouer si près du but.

— Haut les cœurs ! lui murmura Eve à l'oreille. Ça ira mieux quand nous serons arrivés à la prochaine étape. Ils sont encore tous un peu sous le choc, mais ils ne vont pas tarder à se ressaisir.

— Tu crois ?

Il se tourna vers elle et se sentit tout de suite mieux. Un simple sourire d'Eve suffisait à lui remonter le moral.

— J'en suis sûre. Ce sont tous des gens épatants. Un peu de repos, et ça ira mieux.

— J'espère que tu as raison.

Autrefois elle avait toujours été quelqu'un de très positif, et il fit mentalement une prière pour qu'elle redevienne cette ancienne Eve qu'il aimait tant. Peut-être ainsi pourrait-il retrouver en même temps une partie de lui-même qui manquait depuis qu'elle avait disparu de sa vie.

C'était la première fois qu'il y réfléchissait, et ce fut un choc. Oui, Eve lui avait manqué, beaucoup plus qu'il n'avait voulu se l'avouer.

Soudain, il se rendait compte à quel point elle avait compté pour lui. Et elle aurait pu compter beaucoup plus s'il n'avait pas pris ses distances avec elle après le baiser qu'ils avaient échangé. S'il ne s'était pas éloigné d'elle, il ne serait sans doute rien arrivé avec Damien.

La vie d'Eve aurait pu être très différente s'il avait eu le courage d'admettre ses sentiments. Mais comment aurait-il pu le faire, sachant qu'il ne pouvait pas lui donner ce qu'elle souhaitait ? Sans doute avait-elle subi une terrible épreuve avec son ex, mais cela ne se serait pas mieux passé avec lui.

Il ferma les yeux, profondément atteint par cette conclusion. Ce n'était pas lui qu'il fallait à Eve. Plus vite il l'accepterait, mieux cela vaudrait. Mais il ne pouvait pas lui confier ce qu'il éprouvait, car elle risquait de vouloir le convaincre que ses craintes étaient sans fondement. Et il savait très bien qu'elles ne l'étaient pas.

Ils atteignirent le pic Scafell avec plus d'une heure de retard sur l'horaire prévu. Ryan tentait d'accélérer le mouvement en encourageant tout le monde à descendre rapidement du bus, et Eve se tint un peu à l'écart pour ne pas le gêner.

Elle fronça les sourcils en l'entendant parler un peu durement à Penny, qui avait oublié de remplir sa bouteille d'eau. Il paraissait très tendu. Etait-ce vraiment la crainte de ne pas réaliser le défi dans les temps qui le contrariait à ce point ? Ils n'avaient que vingt-quatre heures pour faire les trois sommets, et l'accident les avait encore retardés.

Pour Ryan, ne pas obtenir l'argent des sponsors serait un désastre.

— Bon. Nous devrions être de retour vers 8 h 30, lui dit-il après un coup d'œil à sa montre. Inutile de préparer des plats chauds, des sandwichs conviendront très bien.

Elle acquiesça, mais ne voulut pas le laisser repartir sans rien dire.

— Sois prudent, Ryan. Je ne voudrais pas avoir à te remettre d'aplomb parce que tu as voulu aller trop vite.

— Je m'en sortirai, répondit-il d'un ton bref avant de s'éloigner.

Elle rougit. Il n'avait manifestement que faire de son avis. Lorsque les autres lui dirent gaiement au revoir, elle eut du mal à sourire en retour.

Elle alluma le réchaud pour faire du café. Avait-elle dépassé la mesure ? Probablement. Ryan avait toujours été très indépendant, il n'avait pas l'habitude de se faire dorloter. Mais était-ce la seule raison de son attitude envers elle ? Il y avait autre chose. Elle ne voulait pas être en froid avec lui — surtout sans savoir ce qu'elle avait bien pu faire de travers.

Elle soupira. Avec Damien, elle avait été habituée à avoir toujours tort. C'était toujours sa faute à elle, il n'y était jamais pour rien. Et elle ne voulait plus revivre cela. Si elle avait contrarié Ryan, elle lui demanderait de lui dire comment, et ce serait la fin du problème.

Lorsque le petit groupe de grimpeurs fut de retour quatre heures plus tard, Eve était en effervescence. Elle distribua les sandwichs et monta dans le bus avec l'intention de mettre les choses au clair avec Ryan. Mais, une fois de plus, il choisit de ne pas s'asseoir à côté d'elle et rejoignit Steve. Tout le monde était épuisé, et il y eut peu de bavardages pendant le trajet vers le nord du pays de Galles.

Comme le trafic était fluide, ils rattrapèrent une partie du retard, mais la pression n'était pas redescendue. Ce n'était pas le bon moment pour avoir une conversation avec Ryan, mais elle se promit que ce n'était que partie remise. Elle avait besoin de savoir exactement où elle en était avec lui.

Regardant le groupe s'éloigner, elle se frictionna les bras. Comment Ryan avait-il pu devenir aussi important pour elle en si peu de temps ? Il y avait à peine une semaine, elle avait pris la résolution de le tenir à distance, mais il n'en était plus question. Il faisait maintenant partie intégrante de sa vie, elle avait besoin de son soutien et de sa gentillesse. Besoin de lui.

Etait-il possible qu'elle soit en train de tomber amoureuse ? Elle n'avait qu'une certitude : ce qu'elle éprouvait pour lui, elle ne l'avait encore jamais ressenti pour aucun homme.

Ils escaladèrent le Snowdon et redescendirent juste à temps, mais uniquement parce que Ryan avait poussé chacun au bout de ses limites. Voyant l'épuisement sur leurs visages, il se sentit plus coupable que jamais.

Ces gens — ses amis — avaient donné généreusement de leur temps pour soutenir son projet, et il les remerciait de leurs efforts en se comportant comme un négrier.

— Je ne sais pas quoi vous dire, si ce n'est : merci de tout cœur, dit-il. Félicitations à tous.

— Et moi, je vous répondrais bien « Ce fut un plaisir », mais ce serait mentir, rétorqua Marie, se laissant tomber à terre pour masser ses mollets douloureux. Cette semaine, je peux d'ores et déjà vous annoncer que je ne serai bonne à rien.

Il éclata de rire.

— Ça m'apprendra à vous traiter aussi durement.

Quand Eve les rejoignit, il s'efforça de contrôler les battements de son cœur, mais c'était impossible. Il suffisait qu'il la regarde pour que son cœur s'emballe et que sa respiration s'accélère. Quant à d'autres parties de sa personne… Mieux valait les ignorer.

— Bien. A moins que vous n'ayez envie de refaire les

ascensions dans l'autre sens, je suggère de regagner la pension. Je ne sais pas pour vous, mais je rêve d'un bon bain chaud.

Un murmure d'approbation salua sa suggestion.

Au moment où il allait refermer la porte du compartiment à bagages, quelqu'un l'appela et il poussa une exclamation en découvrant le couple qui se précipitait vers lui. La dernière fois qu'il avait vu Sarah et David, c'était à Londres, pendant leurs études de médecine.

— Ça alors !

Il serra la main de David et embrassa Sarah sur la joue.

— A vous voir ensemble, je suppose que tu n'as pas encore envoyé ce garçon sur la touche ? demanda-t-il, moqueur.

— En fait, on s'est même mariés l'année dernière, répondit-elle en riant. Alors je doute de pouvoir me débarrasser de lui maintenant.

— Félicitations, dit-il avec chaleur, sincèrement heureux pour eux.

Il aperçut Eve, qui s'apprêtait à monter dans le bus.

— Regarde qui est là, appela-t-il. David et Sarah, tu te souviens d'eux ?

— Bien sûr.

Elle leur serra la main, mais il la sentit très mal à l'aise. Quel était le problème ? A l'époque, ils s'entendaient tous très bien, et à présent, ces deux-là semblaient être les dernières personnes qu'elle aurait souhaité voir.

— Quelle surprise de te retrouver ici, Eve, dit Sarah d'un air curieux. J'avais entendu dire que tu étais partie à l'étranger. Quand es-tu rentrée ?

— Il y a environ six mois, répondit Eve, laconique.

— Et j'ai eu la surprise de la voir débarquer un jour à l'hôpital de Dalverston, dit Ryan.

— Oh ! tu as repris tes études de médecine ? Je suis ravie pour toi, Eve, dit Sarah. Tous les deux, vous avez toujours été les meilleurs amis du monde, n'est-ce pas ? Nous étions tous persuadés que vous finiriez par former un couple parfait, jusqu'à ce qu'Eve commence à fréquenter Damien. A propos, es-tu toujours en contact avec lui ?

— Non, je ne l'ai pas vu depuis longtemps.

Cette fois, Ryan reconnut la panique dans sa voix. Et soudain, il comprit ce qui n'allait pas : Eve mourait de peur. Elle était terrifiée à l'idée que son ex puisse la retrouver.

Il réprima un juron. Quel imbécile de ne pas avoir deviné plus tôt.

Claquant la porte du compartiment à bagages, il prit Eve par le coude.

— On a été ravis de vous revoir, les amis, mais nous devons malheureusement repartir. On se reverra peut-être.

— Sait-on jamais ? répondit gaiement David en s'éloignant.

Puis il se retourna.

— Je dirai à Damien que je t'ai vue, Eve. Il cherchera peut-être à te joindre.

Déjà, le couple était allé retrouver leurs amis.

Ryan jeta un coup d'œil au visage livide d'Eve ; elle était sur le point de s'évanouir.

— Viens.

Il l'aida à monter dans le véhicule, la tenant toujours sous le coude. Par chance, le siège avant était vacant. Il lui attacha sa ceinture, car elle ne semblait pas en état de le faire. Elle restait assise là, les yeux perdus dans le vague. Si son état régressait, il ne se le pardonnerait jamais.

Et si Damien la recontactait, suite aux informations de David ? Il ne put supporter cette idée. Quelle que fut la somme qu'il récolterait pour avoir relevé le défi qu'il s'était fixé, cela ne signifierait rien si Eve en ressortait fragilisée !

Des chambres avaient été réservées dans les faubourgs de Betws y Coed. Eve sortit du bus avec les autres et les suivit à l'intérieur. Malgré leur fatigue, ils étaient tous de bonne humeur et elle fit de son mieux pour se joindre à eux, mais c'était impossible. Elle ne cessait de penser à la possibilité que Damien la retrouve.

Elle en avait fini avec lui — à présent, elle en était sûre. Mais la seule idée de le revoir lui donnait la nausée.

A la réception, Ryan demanda la clé de sa chambre. Elle eut à peine le temps de protester que, déjà, il l'emmenait au premier étage et lui ouvrait la porte.

— Je vais aller chercher tes affaires, mais je voulais d'abord m'assurer que tu allais bien, lui dit-il doucement.

Il referma la porte derrière eux pour qu'elle puisse parler en toute liberté.

— Merci, répondit-elle simplement, sentant les larmes lui monter aux yeux.

Elle n'était pas encore au bout du tunnel. Tant qu'elle continuerait à avoir peur de Damien, elle ne serait pas complètement libérée de lui.

— Ne pleure pas, murmura-t-il.

— Je déteste ça, dit-elle en réprimant un sanglot. Je déteste le fait qu'il puisse me faire si peur !

— Je sais, ma chérie. Je te comprends.

Il la prit dans ses bras, et elle sentit le frisson qui le traversait.

— Accroche-toi à l'idée qu'un jour tu sera capable de penser à lui sans rien ressentir.

— Tu crois vraiment que cela arrivera ?

— J'en suis certain.

Lui relevant le visage, il plongea son regard dans le sien.

— Tu es forte et courageuse. Un jour, tout ça ne te semblera plus qu'un mauvais rêve.

Doucement, du bout de son pouce, il caressa ses lèvres tremblantes.

— Ce sera plus facile, Eve, je te le promets. Je ferai tout pour ça.

En voyant l'expression de ses yeux, elle retint sa respiration. C'était un mélange de tendresse et de quelque chose d'autre — quelque chose qui fit battre son cœur plus vite, mais cette fois, ce n'était pas de la peur.

Il allait l'embrasser. Elle eut un bref sentiment de panique, puis il posa sa bouche sur la sienne. Elle était chaude et si douce que la panique s'envola d'un coup.

C'était Ryan et il ne lui ferait jamais de mal. Il la protégerait toujours.

Elle sut qu'elle se rappellerait ce moment-là toute sa vie. Elle n'avait plus rien à craindre : Ryan était là pour la soutenir et l'aider. Et peut-être, un jour, pourrait-elle l'aider à son tour.

Ce fut cette pensée qui fit fondre ses dernières réserves. Prenant sa tête dans ses mains, elle l'attira vers elle et lui rendit son baiser. Après une seconde d'hésitation, il l'embrassa avec passion. Visiblement, il en avait besoin autant qu'elle !

Quand ils s'écartèrent l'un de l'autre, ils respiraient tous les deux bruyamment. Elle sentait son sang battre dans ses veines, la remplissant de vie et de chaleur. C'était une sensation merveilleuse, après avoir vécu effacée aussi longtemps.

Elle appuya son front contre son épaule et le sentit trembler.

— Je n'avais pas prévu ça, Eve. Je t'assure.

— Je sais. Moi non plus, au cas où tu te poserais la question.

Il rit doucement.

— Donc, tu n'as pas de vues sur moi ? Je suis dépité.

— Mmm. Toi, dépité ? Ça m'étonnerait.

Elle rit à son tour, contente qu'il soit capable de la taquiner après un moment d'émotion aussi intense.

— J'imagine que ton ego a eu sa dose de femmes ayant des vues sur toi.

L'expression de Ryan devint sérieuse.

— Aucune d'elles n'a jamais rien signifié pour moi, contrairement à toi.

On frappa à la porte et il s'écarta de nouveau pour aller ouvrir, tandis qu'elle lissait ses cheveux en arrière.

Qu'avait-il voulu dire ? Qu'elle comptait pour lui ? Qu'il l'aimait ?

Elle ne devait pas se laisser emporter par l'ardeur du moment. Elle avait éprouvé un choc en revoyant Sarah et David, et réagissait sans doute de manière disproportionnée.

Ses sentiments pour Ryan n'étaient pas liés aux événements passés. Certes, il l'avait aidée à débloquer ses émotions, mais ce qu'elle ressentait à cet instant n'avait rien à voir avec cela.

Ses sentiments pour lui étaient purs, rien ne pouvait les entacher.

11.

De retour à l'accueil, Ryan fut confronté à un nouveau problème : il n'y avait pas assez de chambres. Pourtant, il était certain d'avoir réservé le nombre correct. Avant que tout le monde ne s'énerve, il ressortit la copie de confirmation qu'il avait reçue par e-mail.

M. Jones, le propriétaire, secoua la tête.

— Je ne sais pas ce qui s'est passé, docteur Sullivan. Le problème, c'est que je n'ai plus de chambre disponible. Nous sommes complets, en cette saison.

— Avez-vous autre chose à nous proposer ? demanda Ryan, pressé de retourner voir Eve.

Ce baiser échangé avait été merveilleux, mais il avait eu tort. Cela aurait pu facilement les mener plus loin s'ils n'avaient pas été interrompus. Et s'ils avaient fait l'amour, il n'aurait jamais pu s'en tenir à sa décision. Il aurait dû rester avec elle, en sachant qu'il ruinerait sa vie.

— La seule chose que je peux vous proposer, c'est la cabane, dit M. Jones. Vous pouvez y loger à deux. Habituellement, on ne la loue pas à cette époque de l'année, mais elle ne sera pas longue à préparer. Elle est habituellement réservée aux familles. L'aménagement y est plutôt basique.

— Je la prends. Désolé, mais il n'y a pas d'autre solution, dit Ryan en se tournant vers le reste du groupe. C'est moi qui aurai la cabane, avec Eve, et vous pourrez vous partager les chambres.

— Je suppose qu'elle n'a rien contre le fait de vivre à la dure ? demanda Marie d'un air innocent.

— Bien sûr que non, répondit-il d'un ton ferme.

En fait, il n'en avait aucune idée, et aurait peut-être dû la consulter avant.

Quand il retourna dans la chambre, Eve était assise sur le lit. A peine eut-il posé les yeux sur elle qu'il sentit son cœur fondre.

— Ça va mieux ? demanda-t-il, l'air faussement détendu.

— Oui, merci.

Il lui expliqua la situation.

— Le confort de la cabane est assez rudimentaire, paraît-il.

Elle haussa les épaules en prenant son sac.

— Ça ira très bien. On ne risque rien à essayer.

Etait-ce son imagination, ou avait-elle instauré une certaine distance entre eux ? Peut-être, comme lui, avait-elle décidé de ne pas se laisser entraîner trop loin par ses émotions. Après tout, elle avait autant à perdre que lui.

Il fallait qu'elle consacre tous ses efforts à la reconstruction de sa vie. Elle non plus n'avait pas de temps pour une relation.

La cabane était beaucoup plus agréable qu'Eve ne s'y était attendue. Elle sourit en faisant le tour du mobilier, simple mais confortable. Les murs étaient de bois de cèdre, conférant à l'ensemble un aspect chaleureux et accueillant. Des meubles peints dans différentes nuances de vert ajoutaient au charme de l'endroit.

Il y avait une petite cuisine, une salle de bains, ainsi que deux chambres. La plus grande, dans la mezzanine, offrait une vue magnifique sur les bois.

Se tournant vers Ryan, elle rit de plaisir.

— Mais c'est adorable ! s'exclama-t-elle.

— C'est charmant. Et très calme, on est en retrait de la route. Me voilà soulagé.

Elle lui sourit, et son cœur fit un bond de joie quand il lui répondit. Il semblait avoir oublié ce qui l'avait perturbé. Peut-être avait-il eu aussi des doutes sur ce baiser échangé ?

De son côté, elle ne savait plus vraiment ce qu'elle voulait. Elle verrait cela plus tard.

Elle se dirigea vers la cuisine. Ouvrant le mini-réfrigérateur, elle en retira un carton de lait.

— On dirait que notre hôte nous a fourni quelques provisions de base, dit-elle. Si je faisais du thé pendant que tu vas chercher les bagages ?

— Bonne idée.

Quand il fut de retour, tout était prêt. Elle versa le thé et lui offrit des biscuits au gingembre trouvés dans le placard.

— Désolée, il n'y avait pas de petits pains au lait, fit-elle d'un ton léger.

— Non ? Très mauvais point, répondit-il sur le même ton.

Elle prit un air désespéré.

— Oh ! mon Dieu. Je ne sais pas si je vais supporter d'être aussi maltraitée.

— Je crois que tu survivras. Tu es beaucoup plus forte que tu n'en as l'air, dit-il en retrouvant son sérieux.

— Vraiment ?

Il avait dû entendre le doute dans sa voix, car il posa sa tasse et la regarda longuement.

— Oui, vraiment. Tu ne serais pas arrivée là où tu es si tu n'avais pas été forte, en plus d'être courageuse.

— Je n'étais pourtant pas très fière quand je suis tombée sur Sarah et David, avoua-t-elle. J'aurais voulu disparaître sur place.

— Parce que tu craignais que Damien ne puisse te retrouver ? demanda-t-il d'un air compréhensif.

— Oui. C'est ridicule, mais à la pensée de le revoir, j'ai perdu tous mes moyens.

— Peut-être parce que tu as encore des sentiments pour lui ?

— Peut-être, répondit-elle distraitement en fronçant les sourcils.

Comment lui expliquer ce qu'elle ressentait pour son ex ? En même temps, elle ne voulait pas l'ennuyer avec ses problèmes.

A sa surprise, il se leva brusquement.

— Encore une fois, je suis sûr que tu t'en sortiras, Eve. Quelle chambre préfères-tu ? Que dirais-tu de la mezzanine ? Tu auras un superbe panorama, de là-haut. Je vais t'apporter tes bagages.

— Je… Oui, merci.

Il lui monta son sac sans lui accorder le moindre regard. Puis il emporta ses affaires dans l'autre chambre et ferma la porte derrière lui, la laissant plus décontenancée que jamais. Avait-il dit quelque chose ?

Elle poussa un soupir. C'était probablement son imagination. Mais elle était tellement sensible à tout ce qui venait de lui que la moindre parole prenait une importance démesurée. Elle avait besoin d'un peu d'équilibre dans sa vie, de prendre du recul, de voir la situation telle qu'elle était. Ryan était son ami. Et, malgré ce baiser, il entendait bien le rester.

Ryan resta dans sa chambre le plus longtemps qu'il put. Eve allait finir par s'inquiéter s'il continuait à se terrer ainsi. Allait-il enfin admettre le choc qu'il avait eu en découvrant qu'elle avait toujours des sentiments pour son ex ? Pas question !

La trouvant assise sur le canapé en train de lire un magazine, il eut un sourire forcé.

— Alors, on apprécie quelques minutes de paix et de tranquillité ?

— Mmm. Cela fait du bien, après toute cette agitation, non ? répondit-elle froidement.

Voulait-elle lui faire comprendre que leur baiser ne signifiait rien pour elle ?

— En effet. Nous avons tout de même réussi à atteindre notre objectif, dit-il tranquillement.

— Tu t'es vraiment démené pour combler le retard de l'accident, dit-elle avec plus de chaleur.

Il sentit son cœur devenir plus léger.

— Il faut dire que nous avions une super-équipe.

En fait, un simple encouragement suffisait pour que ses émotions reprennent le dessus. Cela prouvait bien à quel point il était impliqué avec Eve, et combien il serait dangereux de continuer à la voir à leur retour à Dalverston.

S'il voulait être capable de la protéger, il devait se tenir à distance. Mais c'était moins important qu'il ne l'avait cru puisque, apparemment, elle était encore amoureuse de son ex.

Il ne pouvait tout simplement pas supporter l'idée qu'elle aime un autre homme. Il connaissait les statistiques : de nombreuses victimes de violences renouaient avec leur agresseur. Mais comment Eve pouvait-elle commettre cette erreur ?

Il devait l'aider à se reprendre.

— Qu'est-ce que tu feras si Damien te recontacte ?

Elle ne répondit pas.

— Voyons, Eve… Tu n'es pas assez folle pour retourner avec lui ?

— Bien sûr que non ! s'exclama-t-elle, visiblement choquée. Comment peux-tu croire une chose pareille, après ce qu'il m'a fait ?

— Beaucoup de femmes le font, répondit-il simplement.

— Eh bien, pas moi.

Elle enserra son torse de ses bras et il la vit trembler.

— Je ne veux plus jamais le voir ni lui parler, dit-elle.

— Parce que tu crains de ne pas être capable de lui résister ? demanda-t-il, le cœur serré.

— Non. Parce que la seule pensée de me retrouver près de lui me rend malade.

Sa voix chevrotait.

— Lorsque j'ai quitté Damien, je suis allée me réfugier dans la maison de mes parents, en Dordogne. Je croyais être en sécurité là-bas, hors d'atteinte, mais j'avais tort. Il a fini par me retrouver.

— Que s'est-il passé ? demanda-t-il calmement, alors qu'intérieurement il avait la nausée.

— Il a voulu me persuader de retourner avec lui, me promettant qu'il ne me ferait plus jamais de mal. Il était très convaincant.

Elle haussa les épaules.

— Mais il a tout gâché en se mettant en colère quand j'ai refusé.

Ryan serra les poings.

— Il t'a frappée ?

— Non. Je ne lui en ai pas laissé l'occasion. Par chance, le jardinier travaillait ce jour-là et j'ai menacé Damien de lui demander d'appeler la police. Il n'a pas demandé son reste, fit-elle avec un sourire amer.

— Dieu merci ! répondit-il, frissonnant à la pensée de ce qui aurait pu se passer. C'est la dernière fois que tu l'as vu ?

— Oh ! oui. Je me suis dit que je devais mettre davantage de distance entre nous, et je suis partie en Floride. Une de mes amies vivait là-bas et venait d'avoir des jumelles. Elle avait besoin de quelqu'un pour s'occuper d'elles quand elle reprendrait le travail. J'y suis restée deux ans, dit-elle en souriant. Deux années très heureuses. En m'occupant des filles, j'ai su ce que je voulais faire : finir mes études de médecine. Lorsque les jumelles ont eu l'âge de fréquenter le jardin d'enfants, je suis rentrée en Angleterre, et j'ai atterri à Dalverston.

— Alors, si Damien te recontacte, tu es presque sûre de l'envoyer paître ?

— J'en suis absolument sûre.

Elle leva la tête, et il lut la détermination dans ses yeux.

— Je ne suis plus amoureuse de lui, à supposer que je l'aie jamais été.

— Que veux-tu dire ?

— J'ai fini par me rendre compte que mes sentiments n'étaient pas ce qu'ils semblaient être. Au début, je ne nie pas que j'ai été très attirée par lui. Il était charmant, sophistiqué, spirituel — mais en fait, j'étais surtout flattée de ses attentions. Pour être honnête, je ne crois pas l'avoir vraiment aimé.

Le cœur d'Eve battait à grands coups sourds. Ryan se leva et parcouru les quelques mètres qui les séparaient. Quand il lui tendit sa main, elle la prit, sentant la force de ses doigts quand il les referma autour des siens. Il l'aida à se relever et resta là, à attendre.

Elle se tendit vers sa bouche jusqu'à ce que leurs lèvres se rencontrent et ce fut le plus doux des contacts. Elle avait à la fois chaud et froid, était excitée et effrayée, et se sentait merveilleusement vivante.

C'était comme si elle avait dormi, toutes ces dernières années, et mis sa vie entre parenthèses, ses émotions en sommeil. Jusqu'à ce moment. Certes, le baiser qu'ils avaient échangé auparavant avait commencé à libérer ses sentiments, mais ce fut cette ébauche de baiser, léger comme un papillon, qui déclencha tout.

— Eve.

La voix de Ryan était douce comme une brise d'été, et elle frissonna. Posant la main sur son large torse, elle sentit son cœur battre à coups précipités sous sa paume. Il battait vite, parce qu'il ressentait la même chose qu'elle.

Se haussant sur la pointe des pieds, elle appuya sa bouche sur la sienne et sentit un grand frisson le parcourir. Ils le partageaient pleinement, ce moment. Il ne durerait pas, mais, pendant quelques minutes, ils ne seraient plus deux entités séparées, mais un couple. Une paire. Ce que l'un ressentait, l'autre le ressentait aussi, et c'était fantastique.

Elle savait que Ryan percevait la moindre émotion

qu'elle éprouvait. Auparavant, qu'il sache combien elle était vulnérable l'aurait terrifiée, mais plus maintenant. Pas avec lui.

Il ne lui ferait jamais de mal. Il la protégerait toujours, elle se le répétait comme un leitmotiv.

— Je veux que l'on fasse l'amour, dit-elle dans un murmure. Je veux me sentir de nouveau femme. Et je crois que c'est aussi ce que tu veux, n'est-ce pas, Ryan ?

— Oui !

Le mot claqua avec force, si spontané et plein d'émotions qu'elle en fut étourdie. Ryan la désirait, et c'était tout ce qui comptait.

Elle lui tendit la main et il la porta à ses lèvres, l'embrassant au creux de la paume. En silence, il l'entraîna dans l'escalier. Ils n'avaient plus besoin de mots, ni de questions ou de réponses.

Tous deux savaient ce qu'ils voulaient. C'était simple : ils voulaient faire l'amour ensemble.

Quand ils atteignirent la chambre, elle lâcha la main de Ryan et ôta son pull, qu'elle laissa tomber par terre. Puis ce fut le tour de sa chemise — un doux bruissement de tissu troublant à peine le silence. Le reste suivit et elle se retrouva avec juste ses dessous de coton blanc, qui n'avaient rien d'affriolant. Mais Ryan n'en paraissait pas moins séduit.

D'un mouvement de tête, elle rejeta les cheveux en arrière et le regarda. Son désir augmenta quand elle vit l'expression de ses yeux : il avait envie d'elle, terriblement.

— A ton tour, dit-elle d'une voix éraillée.

Soutenant son regard, il se débarrassa de son pull et de son T-shirt, qui rejoignirent la pile de vêtements. Puis ce fut le tour des boots, des chaussettes et du jean. Elle retint sa respiration quand elle se retrouva devant son torse nu : tout en lui n'était que muscles et énergie, contrastant avec son propre corps qui n'était que rondeurs et douceur. Leurs différences étaient frappantes.

Quand il lui prit la main, elle résista instinctivement.

— Eve ?

Elle sut que, si elle lui disait qu'elle avait changé d'avis, il l'accepterait aussitôt. Mais était-ce vraiment ce qu'elle voulait ? Regrettait-elle d'avoir commencé ? Souhaitait-elle s'arrêter ?

Il la regarda avec une infinie tendresse.

— Quoi que tu décides, cela me va, Eve. Je veux juste que tu sois heureuse.

Elle sut alors clairement ce qu'elle voulait : qu'il la prenne dans ses bras, qu'il l'aime et lui fasse sentir à quel point être femme pouvait être bon.

Lui prenant la main à son tour, elle l'entraîna vers le lit.

12.

Ryan sentit chaque muscle de son corps frémir. Il n'avait jamais rien senti d'aussi intense en faisant l'amour, d'aussi dévorant, d'aussi… important ! Avec Eve, c'était très différent de tout ce qu'il avait connu auparavant.

Gagné par l'anxiété, il la regarda s'asseoir sur le lit et, s'agenouillant devant elle, prit son visage dans ses mains. Elle n'avait peut-être pas besoin d'être rassurée, mais lui, si ! Il voulait effacer tous les mauvais souvenirs de la mémoire d'Eve, et il n'était pas sûr d'en être capable ; son expérience était peut-être insuffisante. Si Eve détestait qu'il lui fasse l'amour, ou simplement qu'il la touche, il ne se le pardonnerait jamais.

— Arrête, dit-elle.

Sa voix était douce, mais étrangement ferme.

— Tu crains que de mauvais souvenirs ne me reviennent à la mémoire, n'est-ce pas ?

— Oui, répondit-il franchement. Je ne voudrais pas t'effrayer, ma chérie.

— Cela n'arrivera pas.

Elle se pencha pour l'embrasser légèrement sur la bouche, et, quand elle le regarda, ses yeux étaient clairs et sans peur.

— Tu n'es pas lui, Ryan. Tu es toi. Et j'ai confiance en toi.

Soulagé, il la serra contre lui. D'un seul coup, la confiance lui revint et il sut que tout se passerait bien.

Poussant un grognement, il laissa sa main glisser dans son dos et toucha sa peau, douce comme de la soie. Il se sentait en osmose avec elle, échangeant sa chaleur contre la sienne. Plus encore, il avait l'impression qu'ils partageaient chacune de leurs sensations. Cela ne lui était jamais arrivé auparavant. Il n'y avait jamais eu une telle proximité, ni une telle intensité. C'était uniquement avec Eve qu'il vivait ce moment magique.

Les yeux humides, il se pencha pour l'embrasser, exprimant avec ses lèvres tout ce qu'il n'avait pas su lui dire. Oui, il l'aimait, mais ne pouvait pas le lui avouer. Il voulait Eve pour toujours et ne pourrait pas l'avoir.

Ils auraient pour eux cette unique nuit. Même si ce n'était pas suffisant, il voulait en faire quelque chose de spécial : une nuit précieuse et rare, dont le souvenir l'accompagnerait tout au long des mornes années qui s'annonçaient.

Eve ferma les yeux, savourant le contact de la bouche de Ryan qui lui picorait le visage de petits baisers. Partout où ses lèvres le touchaient, elle sentait brièvement leur chaleur et frissonnait de plaisir. Elle n'avait plus peur.

Il trouva de nouveau ses lèvres et elle laissa échapper un soupir de volupté. Dans le passé, elle avait pris l'habitude de simuler ses sensations, craignant que Damien ne devine à quel point son contact lui répugnait. Mais à présent, il n'y avait rien de faux, de calculé. Elle sentait le désir monter en elle, plus fort à chaque seconde, jusqu'à envahir tout son corps. Ce qu'elle éprouvait pour Ryan était à la fois magique et réel.

Elle tendit les bras et l'attira sur elle, frissonnant quand elle sentit le poids de son corps. Elle portait toujours ses dessous de coton, et, sous le tissu blanc, il commença à caresser la pointe de ses seins qui se tendit. Puis il défit le soutien-gorge et elle poussa un gémissement quand il mit le mamelon dans sa bouche. Elle était incapable d'endiguer le flot de sensations qui la parcouraient.

— Ça va ? demanda-t-il, s'écartant pour interroger son regard.

Ce qu'il vit dut le rassurer, car il sourit.

— Tu n'as pas besoin de répondre, murmura-t-il.

Alors, elle laissa ses sens la guider, et des vagues de chaleur se succédèrent en elle quand la main de Ryan s'approcha du véritable cœur de sa féminité.

Ses doigts caressaient doucement le coton blanc et elle gémit de nouveau. Elle ne se rappelait pas avoir été aussi excitée auparavant. Seul Ryan était capable de déclencher un tel désir en elle, de lui faire sentir combien il était bon d'être femme.

Quoi qu'il arrive dans le futur, elle conserverait précieusement le souvenir de ce moment, et était heureuse qu'il se soit produit.

Il fit glisser sa culotte le long de ses cuisses, puis se retrouva nu à son tour avant de sortir un préservatif de son portefeuille.

Elle étouffa une exclamation devant la puissance de son érection : il la désirait follement, elle ne pouvait pas en douter.

Avec douceur, il prit son visage entre ses mains et plongea son regard dans le sien.

— Il n'est pas trop tard pour s'arrêter, Eve. Si ce n'est pas vraiment ce que tu veux, dis-le moi.

Touchée par sa sollicitude, elle posa la main sur sa joue.

— Merci.

— De quoi ? demanda-t-il en l'embrassant, le regard plein de tendresse.

— De me donner le choix, murmura-t-elle. Mais je n'ai pas besoin de choisir…

A peine eut-elle le temps d'achever sa phrase qu'il fondit sur sa bouche.

Les yeux clos, elle savoura le goût de sa langue qui se glissait entre ses lèvres, juste avant qu'il ne pénètre en elle.

Son corps s'ouvrit aussitôt pour le recevoir et elle le sentit frissonner. Avait-il craint qu'elle ne le repousse au dernier moment ? Puis tout se brouilla dans sa tête, et plus rien n'exista pour elle que ce qui se passait dans l'instant.

Quelque chose qui semblait venir du plus profond d'elle-même se répandit dans tout son corps, jusqu'à la consumer totalement. Confiante, elle laissa Ryan l'emmener dans des dimensions où elle n'était encore jamais allée.

Ce qu'elle vivait avec lui transformait à jamais son existence. Elle ne serait plus jamais la même, maintenant que Ryan lui avait fait l'amour.

La conscience revint lentement à Ryan, son cœur reprit peu à peu un rythme moins frénétique. Il resta étendu sur le dos, les yeux fermés, mais les autres sens plus en éveil que jamais. Il entendait les battements du cœur d'Eve allongée près de lui, et s'étonna de n'y avoir jamais prêté attention auparavant avec les autres femmes. Avec Eve, c'était différent. C'était l'amour.

Une vague de tristesse le submergea et, craignant de ne pas pouvoir la contenir, il ouvrit les yeux. Il avait su depuis le début que, si merveilleux que faire l'amour avec Eve fût, il n'y avait pas de futur possible. A présent, il devait s'assurer qu'elle aussi l'avait compris.

— Comment te sens-tu ? lui demanda-t-il doucement.

C'était la chose la plus difficile qu'il eût jamais eu à faire et, soudain, il craignit de tout gâcher. Il n'aurait pas pu supporter de la blesser, alors qu'il tentait désespérément de la protéger.

— Merveilleusement bien.

Elle se tourna vers lui et lui sourit. Il sentit son cœur fondre en voyant de la joie dans ses yeux. Ce qu'elle pensait était évident, et c'était entièrement sa faute. Il aurait dû fixer les règles dès le départ, s'assurer qu'elle avait compris où tout cela les menait — c'est-à-dire nulle part.

— Voilà que tu recommences, Ryan.

Il fronça les sourcils.

— Que veux-tu dire ?

— Tu as peur que je n'accorde trop d'importance à ce qui vient de se passer.

— Je ne veux pas que tu souffres, Eve. Tu en as déjà assez enduré.

Il ne voulait pas lui mentir. Elle avait droit à la vérité, même s'il ne pouvait pas la lui révéler entièrement.

— Ce que j'essaie de te dire… C'est que je tiens beaucoup à toi.

Lui prenant la main, il la garda dans les siennes. Ses émotions n'avaient jamais été aussi à vif. Il n'aurait pas fallu grand-chose pour qu'il s'abandonne et lui avoue son amour pour elle, son désir ardent de faire partie intégrante de son avenir — et elle du sien. Mais c'était impossible. Et il ne devait pas la laisser le persuader qu'il avait tort ; il ne pouvait pas prendre ce risque.

— Je le sais.

A son tour, elle prit ses mains dans les siennes, et il sentit sa résolution faiblir. Il ne devait pas céder à la tentation de la prendre dans ses bras, de lui avouer ses véritables sentiments et de se laisser convaincre.

S'il le faisait, ils pourraient tout avoir : l'amour, le mariage et le bonheur — tout ce dont les couples rêvaient…

Excepté les enfants.

— Moi aussi, je tiens beaucoup à toi, Ryan. Mais nous savons tous les deux que ce n'est pas le bon moment.

Elle soupira en caressant la paume de sa main avec son pouce.

— C'est trop tôt. En tout cas, pour moi, dit-elle.

— A cause de ce qui t'est arrivé ? demanda-t-il.

Il avait bien conscience qu'elle lui ouvrait la porte de sortie dont il avait besoin, et, pourtant, il ne pouvait le supporter. Car elle venait de lui dire qu'elle était toujours marquée par son passé.

— Indirectement, répondit-elle.

Elle parut réfléchir un instant.

— Cela peut paraître fou, mais ce n'est pas ce que j'ai

traversé avec Damien qui me soucie le plus. C'est le fait que j'éprouve toujours le besoin de me retrouver. J'avais tant de projets, tu sais… Tant de choses que je voulais accomplir. Tu te souviens, on en discutait souvent pendant notre formation. Et je me suis rendu compte que je le voulais toujours. Je veux exercer le métier que j'aime, et je veux me marier et avoir une famille, un jour. Je veux tout ce dont je rêvais, tout ce que j'ai perdu. Et je ne crois pas que je puisse le faire en ayant une aventure dès maintenant. Sincèrement, je ne pense pas être assez forte.

Bien sûr, il comprenait son raisonnement et l'approuvait. En même temps, cela lui faisait mal de savoir qu'il ne passait qu'au second plan, que les sentiments d'Eve n'étaient pas aussi forts que les siens.

Il chassa vite ces idées égoïstes de son esprit. Après tout, ne faisait-il pas la même chose ? Il soumettait ses émotions à la raison, cherchant ce qu'il y avait de mieux pour eux deux.

— Si c'est ce que tu veux, c'est très bien ainsi, répondit-il avec effort.

— Mais tu me comprends, n'est-ce pas ? demanda-t-elle, l'air inquiet. Tu comptes énormément pour moi, Ryan. Ce serait si facile de laisser les choses se faire… Mais là…

Elle toucha son cœur.

— … Je sais que je le regretterais. J'ai d'abord besoin de me retrouver pour avoir quelque chose à t'offrir.

— Je comprends, mon cœur.

Il se pencha pour l'embrasser sur les lèvres, puis se redressa. S'il ne partait pas tout de suite, il serait capable de lui dire qu'elle se trompait, qu'il l'aimait et l'aiderait à réaliser tous ses rêves.

Excepté un, très important. Si elle restait avec lui, elle ne deviendrait jamais maman.

Les jambes de Ryan tremblaient quand il descendit l'escalier. Même si c'était dur, il pouvait accepter de n'être jamais père. Mais il n'accepterait pas qu'Eve ne soit jamais mère.

— Je crois que nous avons tous les deux besoin d'air, dit-il brusquement. Si tu te reposais un peu ? On doit retrouver les autres à 7 heures pour dîner, il y a largement le temps.

— Entendu.

Il était sur le point de s'éloigner quand elle le rappela, et il s'arrêta à contrecœur.

— Ce qui vient de se passer, Ryan… C'était magique.

— Pour moi aussi, dit-il avant de s'enfuir.

Une fois de retour dans sa chambre, il respira profondément plusieurs fois. Il fallait qu'il y arrive, il n'avait pas le choix. Il devait aller de l'avant et vivre de son mieux, même si ce n'était qu'une existence de second ordre, sans Eve à ses côtés pour la partager avec lui.

Ils furent de retour à Dalverston le lundi, pour le déjeuner. Eve, la première à être déposée, leur fit de grands signes d'au revoir avec un large sourire. Elle espérait que personne ne remarquerait à quel point elle était triste.

En voyant le minibus s'éloigner, elle dut se retenir de courir derrière — de rattraper Ryan. Elle n'avait plus qu'à se convaincre qu'elle avait fait ce qu'il fallait.

L'appartement lui parut si froid et si tranquille qu'elle frissonna. Elle laissa son sac de voyage près de la porte, trop fatiguée pour le défaire tout de suite. Pendant ces quelques jours, elle s'était habituée à avoir du monde autour d'elle et avait apprécié leur compagnie. Mais une personne surtout lui manquait — et continuerait à lui manquer tant qu'elle ne se serait pas remise de ce qui s'était passé la veille, sur la mezzanine.

Et si elle avait commis une erreur ? Cette pensée la remplit de doutes. Et elle ne voulait pas affronter l'avenir avec des doutes.

Elle alla se faire du thé dans la cuisine et s'assit à la table, le temps qu'il refroidisse. Elle n'avait pas prévu de parler à Ryan comme elle l'avait fait. C'était sorti tout seul. Peut-être avait-elle senti que lui-même se posait des questions. Mais elle ne voulait de toute façon pas se précipiter pour le regretter ensuite.

Peut-être l'aimait-elle, mais, tant qu'elle ne serait pas redevenue un être à part entière, elle ne pourrait pas s'engager. Exiger de lui qu'il l'aime comme elle était actuellement n'aurait pas été juste. Ils devaient être sur un pied d'égalité, tous les deux sûrs de *qui* ils étaient. Leur relation ne fonctionnerait pas si Ryan devait lui servir d'étai, de soutien permanent.

Elle emporta son sac dans sa chambre : il fallait qu'elle prenne sa vie en main. Pourquoi ne pas commencer par le simple fait de ranger ses bagages ? Elle avait perdu trop de temps à être à la dérive et refusait d'en perdre davantage. Et si elle parvenait à son but… Qui savait ce qui pourrait alors se passer ?

L'espoir se glissa en elle. Peut-être. Peut-être qu'une fois qu'elle se serait retrouvée, elle et Ryan pourraient recommencer.

S'il y était disposé.

S'il l'aimait.

Ryan commençait tôt le mardi matin et arriva à l'hôpital peu avant 6 heures. Marie était dans la salle du personnel et l'accueillit avec un large sourire.

— Comment vont vos jambes ? lui demanda-t-elle. Les miennes sont raides comme des piquets.

— Les miennes aussi, dit-il en rangeant sa veste dans le vestiaire. J'ignorais que des muscles pouvaient être douloureux à ce point.

— Parfait. J'aurais détesté être la seule à souffrir !

Il hocha la tête.

— En tout cas, tout le monde a fourni un sacré effort…

— A propos, avez-vous été contacté par la police écossaise au sujet des blessés ?

— Oui. Le père et les deux enfants sont sortis de l'hôpital, mais les deux femmes sont toujours en soins intensifs.

Il s'interrompit à l'arrivée d'Eve.

— Bonjour, leur dit-elle en souriant avant de se diriger vers son vestiaire.

Il eut du mal à lui répondre. Comment pouvait-il faire comme si tout allait bien, alors qu'il avait le cœur brisé ? Il avait passé la nuit la plus misérable de toute son existence, à penser à Eve et à tout ce qui était arrivé — et aussi à tout ce qui n'arriverait jamais. Il en revenait toujours au même point : Eve et lui ne pourraient pas être ensemble. Jamais.

— Bon. Je vais voir ce qui s'est passé pendant notre absence, dit-il.

Et il tourna les talons, de crainte de commettre l'irréparable et de dire quelque chose qu'il n'aurait pas dû.

Eve et lui ne pourraient pas vivre ensemble, ils ne pourraient pas être un couple. Sa tête le savait, mais pas son pauvre cœur. Et s'il l'écoutait, il n'agirait pas correctement.

Il se plongea de nouveau dans l'atmosphère de l'hôpital. George Porter, le garçon atteint de méningite, allait beaucoup mieux et devait sortir le jour même, ce qui était une excellente nouvelle. La plupart des autres enfants avaient également vu leur état s'améliorer, mais il y avait eu de nouvelles admissions pendant le week-end, qui réclamaient toute son attention.

Réprimant un soupir, il ouvrit le premier dossier. Au moins, pendant qu'il était concentré sur les besoins des enfants, il ne pensait pas à ses propres problèmes.

Enfin, ça, c'était la théorie. Restait à voir si cela fonctionnait en pratique.

13.

— Pouvez-vous de nouveau m'expliquer comment Charlie s'est fait ces blessures, madame Lawrence ?

Eve sentit la tension dans la voix de Ryan et fronça les sourcils. Il était évident que quelque chose le dérangeait, mais elle ignorait quoi. Elle consulta le dossier d'admission du jeune Charlie Lawrence, âgé de six ans, dans l'espoir d'y trouver une indication.

Le petit garçon avait été amené aux urgences la veille au soir. Le médecin de service lui avait fait passer une radio, qui avait révélé une mauvaise fracture du fémur gauche. Charlie avait été emmené directement en salle d'opération, où Ray McNulty, le chirurgien orthopédique du service de pédiatrie, l'avait réduite. Rien que de très banal.

Mais alors, pourquoi Ryan approfondissait-il ce cas ?

— Nous avons déjà expliqué ce qui s'était passé, dit Brian Lawrence avant que sa femme n'ait pu répondre. Tout est dans les notes, docteur.

Ryan esquissa un sourire froid, tandis que son regard transperçait l'homme.

— Je sais. Cependant, les faits ont tendance à être modifiés quand on les retranscrit.

Il se tourna vers Amy Lawrence.

— Donc, vous étiez seule à la maison avec lui quand Charlie est tombé dans l'escalier, c'est bien ça ?

— Je, euh… Oui, c'est exact.

Amy Lawrence regarda son mari et Eve remarqua à quel

point elle semblait nerveuse. Comme si elle craignait de répondre de travers.

Elle comprit ce qui se passait et son cœur se serra. Ryan ne croyait pas que Charlie s'était cassé accidentellement la jambe.

— J'étais sorti boire un verre avec des amis, dit Brian Lawrence.

Il se tourna vers Eve et la gratifia d'un sourire charmeur.

— Classique, non ? Le seul soir où je sors, il se passe quelque chose ! dit-il en ébouriffant les cheveux de Charlie.

Elle serra les poings en voyant le petit garçon tressaillir. Son père dut le remarquer aussi, et donna à son fils une tape censée être amicale sur la joue.

— Je te l'ai toujours dit. Ne joue pas dans l'escalier, tu risques de te faire mal.

Eve ouvrit la bouche, incapable de rester sans réagir alors qu'il terrorisait l'enfant. Avait-il, sous le coup de la colère, fait tomber Charlie dans l'escalier, lui fracturant la jambe ? Cela paraissait de plus en plus probable.

— Monsieur Lawrence, commença-t-elle.

— Pouvez-vous joindre M. McNulty, docteur Pascoe ? dit brusquement Ryan. Je voudrais vérifier qu'il n'y a pas eu de complications durant l'opération. Cela pourrait avoir un impact sur la durée d'hospitalisation de Charlie.

Elle hocha la tête en silence. Il avait eu raison de l'interrompre. Si elle accusait sans preuves Brian Lawrence de maltraiter son enfant, cela pouvait avoir des conséquences désastreuses. Elle alla téléphoner dans le bureau. Ray McNulty était au bloc, mais sa secrétaire promit de lui demander de rappeler dès qu'il serait libre.

Alors qu'elle venait juste de raccrocher, Ryan la rejoignit. Il avait l'air lugubre.

— Tu penses que le père est responsable des blessures de Charlie ?

— Absolument. As-tu vu la réaction du pauvre gamin quand il l'a touché ?

— Oui. C'est là que j'ai compris. Qu'est-ce qui t'a fait soupçonner quelque chose ?

— C'est sa troisième visite à l'hôpital depuis Noël.

— Vraiment ? Je n'ai rien lu de semblable dans ses notes. Pourquoi les urgences ne l'ont-elles pas signalé ?

— J'ai bien l'intention de le savoir. Si ce pauvre enfant est passé à travers les mailles du filet, combien y en a-t-il eu d'autres ?

Elle frissonna. Cette situation lui était un peu trop familière. Il dut le remarquer et soupira.

— Je sais que ce doit être dur pour toi, Eve. Tu n'es pas obligée de participer, tu sais.

— Bien sûr que si ! s'exclama-t-elle. Je ne peux pas faire comme si ces problèmes n'existaient pas. Je dois faire face à ce genre de situation, sinon je ne pourrai pas exercer mon métier correctement. D'ailleurs, avoir une expérience directe de la maltraitance me donne plutôt un avantage. Je pourrais venir en aide à la mère de Charlie si elle aussi a subi des violences.

Il fronça les sourcils.

— Tu en es sûre ? Il ne faudrait pas que tu en fasses trop. N'oublie pas que tu te remets à peine d'une mauvaise expérience.

— J'arrêterai si je sens que c'est trop pour moi, répondit-elle, touchée par son désir manifeste de la protéger.

Marie arriva à cet instant et, tandis que Ryan lui expliquait ses inquiétudes, Eve, plus optimiste pour la première fois depuis son retour, retourna dans le service.

Il s'intéressait vraiment à elle. Peut-être était-elle allée trop vite en lui disant qu'elle n'était pas disponible pour une relation amoureuse. Après tout, s'il était à ses côtés pendant qu'elle reconstruisait sa vie, cela l'aiderait énormément. Savoir qu'il l'attendait était le meilleur des encouragements.

Mais était-ce ce que lui voulait ?

Il avait toujours fui les engagements, et rien ne semblait l'avoir fait changer. Sinon, il aurait sûrement insisté davantage pour qu'elle lui donne une chance ?

Elle soupira en se rappelant le dernier week-end. Ryan tenait sans doute à elle. Peut-être même l'aimait-il à sa façon, mais ce n'était probablement pas suffisant pour qu'il reconsidère sa décision de rester célibataire.

Qui savait ? Un jour, il changerait d'avis quand il rencontrerait la femme qu'il lui fallait. Mais il était clair que ce ne serait pas elle.

La journée s'écoula rapidement. Entre ses patients habituels et le cas de Charlie Lawrence, Ryan fut heureux d'avoir l'esprit pleinement occupé.

Eve était une amie et ne serait jamais autre chose. Le problème, c'était qu'il ne parvenait pas à l'accepter, ni à croire qu'elle ne serait jamais à lui. L'effacer de sa vie de cette façon était trop douloureux. Il ne s'en remettrait jamais, il le sentait : un avenir sans Eve ne l'intéressait pas.

Il rentra chez lui très abattu. Habituellement, il était quelqu'un de très positif, mais son horizon personnel lui semblait bien obscur.

Il se prépara un sandwich et l'emporta dans le séjour, où l'attendait une énorme pile de revues médicales. Il devait s'informer sur les derniers développements dans le domaine pédiatrique s'il voulait poser sa candidature au poste de conseiller médical. S'il ne pouvait avoir ni femme ni enfants, au moins pourrait-il avoir une carrière !

A peine avait-il parcouru la moitié du premier article que l'on sonna à la porte. Il alla répondre en traînant les pieds. Encore un démarcheur qui voudrait lui vendre quelque chose dont il n'avait pas besoin.

Il ouvrit d'un geste brusque et s'arrêta net, nez à nez avec Eve.

— Qu'est-ce que tu fais ici ? demanda-t-il sèchement.

— Je suis venue rapporter les vêtements de ta mère, répondit-elle, soudain toute rouge.

Il aurait volontiers avalé sa langue : il avait vraiment le chic pour mettre les visiteurs à l'aise !

Elle lui tendit un sac plein à craquer.

— Peux-tu la remercier de ma part, et lui dire que j'ai lavé tout ce que j'avais porté ? demanda-t-elle avant de pivoter sur ses talons.

Il n'était pas question qu'il la laisse repartir sans s'être excusé.

— Je suis désolé, Eve. Le moins que l'on puisse dire est que je ne t'ai pas réservé le meilleur accueil, mais tu m'as pris par surprise. Veux-tu rentrer un moment ? S'il te plaît.

— Je suis seulement passée rendre le sac, répondit-elle d'une voix tremblante.

Elle faisait de son mieux pour ne rien laisser paraître, mais il comprit une chose. Elle lui avait dit qu'elle avait besoin de temps pour se retrouver, mais cela ne signifiait pas qu'il ne comptait pas pour elle.

Cette idée le remplit de chaleur et de joie, et il posa la main sur son bras.

— Cela ne t'empêche pas de prendre une tasse de thé, n'est-ce pas ? dit-il avec un sourire persuasif, voyant l'hésitation dans ses yeux.

— Si tu es sûr que je ne te dérange pas…

— Au contraire, tu me rends service.

— Comment ça ? demanda-t-elle en le suivant dans le couloir.

— Cela me donne une excuse pour ne pas lire tous ces articles médicaux, répondit-il en lui montrant la pile de journaux dans le salon.

Elle rit.

— Voilà qui n'est pas très professionnel, docteur Sullivan. Je suis consternée par votre attitude.

— Moi aussi, dit-il d'un ton léger.

Il l'entraîna dans la cuisine.

— Je dois être quelqu'un de très superficiel, mais la plupart de ces articles m'ennuient à mourir, je l'avoue.

— A mon avis, il est difficile de trouver quelqu'un de moins superficiel que toi, dit-elle.

— Merci. Je te demanderai une lettre de recommandation si je cherche un emploi.

Il avait parlé sur le ton de la plaisanterie, mais ce qu'elle avait dit l'avait touché. Elle aussi s'intéressait à lui.

Pourtant, elle n'était venue que pour lui rapporter des affaires, pas pour le voir.

Ou bien ?…

Avait-elle une autre raison de lui rendre visite ? Elle aurait pu lui redonner les vêtements au travail et s'épargner ainsi un déplacement.

Peut-être avait-elle changé d'avis et voulait-elle lui dire qu'elle s'était trompée, qu'elle désirait qu'ils soient ensemble ? Et dans ce cas, qu'allait-il lui répondre ? Resterait-il sur ses positions, ou bien la tentation serait-elle trop forte ?

De toute façon, c'était elle qui importait le plus, et il devait se focaliser sur ses besoins. Elle n'aurait jamais d'enfant s'il restait avec elle. Etait-ce cela qu'il voulait ? Qu'elle renonce à l'un de ses plus beaux rêves à cause de lui ?

— Ryan ?

Il sursauta.

— Qu'est qui ne va pas, Ryan ?

Sa voix était douce, mais insistante, et il sut qu'il ne pourrait pas éternellement lui cacher la vérité. Il devait tout lui dire. Et ensuite camper fermement sur ses positions.

Lorsque Ryan s'assit près d'elle à la table, Eve était pleine d'appréhension. Quoi qu'il ait à lui dire, ce ne serait pas réjouissant. Elle devait l'écouter, même si ce n'était pas ce qu'elle avait envie d'entendre.

Stoïque, elle attendit qu'il commence, tout en souhaitant n'être jamais venue chez lui. Elle avait trouvé le prétexte des vêtements plutôt que d'admettre qu'elle voulait le voir. Mais, au moment où elle avait posé les yeux sur lui, elle avait compris qu'il ne lui serait pas possible de remettre sa vie en ordre seule. Ryan en faisait partie à présent, et elle avait besoin qu'il soit là — besoin de lui. Elle n'avait plus qu'à le persuader qu'il avait tout autant besoin d'elle.

En attendant, elle devait être prête à écouter ce qu'il avait à dire, sans se laisser envahir par ses émotions.

— Dis-moi ce qu'il se passe, Ryan. Je me rends compte que quelque chose ne va pas, et j'ai besoin de savoir ce que c'est.

Pendant un moment, il demeura silencieux, tête baissée. Il semblait si triste qu'elle faillit pleurer. Elle rassembla tout son courage pour ne pas lui dire de se taire si cela devait le faire tant souffrir. Mais elle ne pouvait pas faire cela. Il fallait qu'il lui parle, et elle devait l'écouter. Ils n'avaient plus le choix.

— Je t'ai raconté que mon frère était mort du LQTS, dit-il finalement d'une voix sans timbre, dépourvue de toute émotion.

Elle ne s'était pas du tout attendue à cela.

— Oui, répondit-elle calmement. Tu disais aussi que tu n'étais pas atteint.

— C'est exact, je ne le suis pas.

Il fixa de nouveau ses mains, et elle sentit son estomac se nouer. Ils avaient atteint le point crucial, le cœur du problème, et elle n'était pas certaine de pouvoir supporter ce qu'il avait à dire. Mais il avait besoin de son soutien. Il fallait qu'elle soit forte — qu'elle soit tout ce qu'elle avait été dans le passé, et qu'elle craignait de ne plus être aujourd'hui.

Soudain, il se décida.

— Je ne suis pas affecté par la maladie, mais je suis porteur du gène.

Il inspira profondément et elle vit ses mains trembler. En un geste instinctif, elle les recouvrit des siennes pour lui apporter un peu de réconfort.

— Cela signifie que je peux le transmettre à mes enfants, dit-il.

Lui prenant les mains à son tour, il les tint serrées contre sa poitrine.

— Je ne pourrai jamais fonder ma propre famille, Eve. Je ne peux pas prendre le risque qu'un de mes enfants hérite de cette maladie. C'est aussi pour cela que je ne me marierai jamais. Je ne laisserais jamais une femme m'épouser en sachant que nous n'aurons pas d'enfants. Ce ne serait pas juste… Surtout envers toi.

14.

Eve restait assise, immobile. Elle avait l'impression que le temps s'était arrêté, pourtant elle entendait le tic-tac régulier de la pendule sur le mur. Ryan ne pourrait jamais être père. Il n'aurait pas d'enfant qu'il aimerait et dont il s'occuperait. C'était ce qui pouvait lui arriver de plus terrible, après la mort de son frère.

Les larmes coulaient librement sur ses joues, mais elle les remarqua à peine. Son cœur saignait pour lui, et pour elle aussi. Elle avait toujours souhaité avoir une famille, rêvé de devenir mère. Même dans les moments les plus sombres, ce rêve ne l'avait jamais quittée. Il lui avait donné de l'espoir et l'avait encouragée à regarder vers le futur — un futur qui, un jour, aurait été plein d'amour et de rires.

Et voilà que ce rêve tombait en poussière. Car, si Ryan ne pouvait pas avoir d'enfants, elle n'en aurait pas non plus.

— Ne pleure pas, ma chérie, dit-il d'une voix brisée. Je ne peux pas le supporter.

En entendant sa voix pleine de souffrance, elle se ressaisit. C'était suffisamment dur pour lui, de savoir qu'il ne serait jamais papa, elle n'avait pas à en rajouter.

Elle s'essuya les yeux d'un revers de main, tandis qu'il ne disait plus rien, comme résigné. Mais alors… Etait-ce la fin pour eux ? Ou bien y avait-il un moyen de contourner ce problème ?

Soudain, elle entrevit une lueur d'espoir.

— Je ne fais pas autorité en la matière, mais es-tu certain qu'il n'y a aucune possibilité ?

— Tu veux dire, comme tester un fœtus pour voir s'il a hérité du gène ?

Il haussa les épaules.

— Même si c'était possible, je ne souhaite à aucune femme de subir un avortement pour cette raison, ni de vivre dans cette crainte.

Elle comprenait ce qu'il ressentait. La perspective de devoir mettre fin à une grossesse la remplissait elle aussi d'horreur.

— Et la fécondation in vitro ? Ainsi, seul un fœtus testé négatif serait implanté.

— Je ne me suis pas penché sur la question. Mais, même si c'était possible, tu sais aussi bien que moi que ce procédé n'est pas simple. En plus de tous les médicaments que la femme doit prendre pour stimuler l'ovulation, il y a le stress d'attendre qu'ils aient produit un fœtus qui convienne.

Il secoua la tête.

— Je n'imposerais pas cela à une femme, Eve. Surtout si elle a la possibilité de tomber enceinte sans toutes ces histoires.

— Aucune femme ne saura si elle peut tomber enceinte avant d'avoir essayé, répondit-elle en toute logique.

— Mais il n'y a aucune raison de penser que *tu* ne peux pas tomber enceinte, n'est-ce pas ?

Il prit son visage dans ses mains. Ses yeux étaient remplis d'une insondable tristesse.

— Je ne pourrais pas te faire ça, ma chérie. Je ne pourrais pas te faire passer par tout ce stress, et cet éventuel désespoir.

— Mais ce serait ma décision, Ryan. Et je le ferais les yeux ouverts, en sachant ce qui m'attend.

— Ce serait encore pire. Me dire que tu m'aimes assez pour faire un tel sacrifice me conforte dans ma décision. Je t'aime, Eve. Et si les circonstances avaient été différentes, je t'aurais déjà demandée en mariage. Mais si nous restons ensemble, nous ne pourrons pas fonder de famille, et tu ne pourras jamais avoir d'enfant. Et ce n'est pas juste.

Il se leva, lui signifiant qu'il avait tout dit. Elle l'imita et se dirigea vers la porte, les jambes tremblantes.

De toutes les épreuves qu'elle avait connues dans sa vie, celle-ci était la plus terrible : elle venait de perdre l'homme qu'elle aimait, et c'était sans espoir de retour.

La semaine s'écoula sans que Ryan en eût vraiment conscience. Il lui semblait qu'il était resté bloqué sur ce moment terrible où il avait annoncé à Eve qu'ils ne pourraient jamais être ensemble.

Il repassait constamment dans sa tête la scène, et tout ce qu'ils s'étaient dit. Malgré ses efforts, il ne parvenait pas à enfouir cela dans un coin sombre de son esprit. Eve avait été prête à prendre un risque, et il avait refusé.

Et s'il acceptait ? N'y avait-il pas un moyen de contourner le problème, comme elle l'avait suggéré ?

Mais s'ils essayaient de faire un bébé, et que cela s'achève dans la douleur ? Le supporterait-elle ? L'aimerait-elle encore après un tel chagrin ?

Le questionnement était sans fin, mais la réponse toujours la même : il devait la laisser partir.

Le seul endroit de répit qu'il lui restait, c'était au travail. Concentré sur ses patients, il n'entendait plus sa petite voix intérieure et passait donc de plus en plus de temps à l'hôpital. Il rencontrait Eve, bien sûr. Et la voir rentrer de plus en plus dans sa coquille était terriblement perturbant.

Même Marie le remarqua et lui en parla, mais que répondre ? Il était le seul responsable de ce glissement, qui s'aggravait de jour en jour. Il avait voulu aider Eve, et avait seulement réussi à la faire replonger. Il se sentait infiniment coupable.

Les services sociaux avaient pris en main le cas du petit Charlie Lawrence. Ryan donna des instructions pour que

M. et Mme Lawrence soient surveillés quand ils venaient lui rendre visite. Il avait décidé de garder le petit garçon tant que les assistantes menaient leur enquête. Il n'avait plus qu'à espérer qu'elles sauraient ce qui s'était réellement passé avant qu'il ne doive faire sortir l'enfant. Ce petit bonhomme avait besoin d'être protégé.

Le vendredi, il apprit avec soulagement qu'Eve travaillait tard ce jour-là. Comme elle n'arrivait pas avant 18 heures, s'il partait à temps, ils n'auraient même pas à se croiser.

Sur les coups de 5 heures de l'après-midi, il était déjà prêt à partir, ce qui n'échappa pas à Marie. Elle haussa les sourcils en le voyant enfiler sa veste.

— Mmm. Chaude soirée en perspective, fit-elle. Un nouveau rendez-vous ?

Il esquissa un léger sourire.

— Comment avez-vous deviné ?

Le seul rendez-vous qu'il aurait voulu, c'était avec Eve.

— Et qui est l'heureuse élue ? insista Marie.

— Il n'est pas question que je vous le dise. Sachez seulement qu'effectivement, la soirée sera chaude…

Il se retourna et vit Eve les yeux fixés sur lui. Elle avait dû tout entendre, à en juger par son expression.

Le cœur de Ryan se serra. Sans un mot, elle ouvrit son vestiaire et y rangea ses affaires. Elle rejoignit le service à la hâte et il resta un peu en arrière pour ne pas risquer de provoquer une scène.

Comment lui faire comprendre qu'il s'agissait juste d'une plaisanterie avec Marie ? Et d'ailleurs, à quoi bon ? Peut-être était-il préférable qu'elle croie qu'il était passé à autre chose. Il soupira en allant prendre l'ascenseur.

Eve n'aurait pas cru que découvrir que Ryan fréquentait de nouveau quelqu'un aurait été aussi douloureux. Il avait prétendu qu'il l'aimait, mais de toute évidence, leurs conceptions de l'amour étaient très éloignées l'une de l'autre !

Réprimant un sanglot, elle alla faire le tour des lits, parlant aux enfants l'un après l'autre. On ne lui avait rien signalé d'urgent, mais elle préférait être prête à toute éventualité. Pour ce qui était de Ryan, elle n'avait certainement pas prévu qu'il recommencerait aussi sec à fréquenter d'autres femmes…

Elle termina par le lit de Charlie Lawrence. Ils l'avaient installé tout près du bureau des infirmières pour pouvoir garder un œil sur lui. C'était un enfant adorable, elle l'aimait beaucoup.

— Alors, comment vas-tu ce soir, Charlie ? lui demanda-t-elle gaiement.

— Très bien, répondit-il avec un sourire timide. Marie m'a donné une console de jeux, c'est super !

Il lui expliqua les règles du jeu auquel il jouait. Ses doigts couraient sur les boutons, et, quand il atteignit un bon score, il rit de plaisir. Il avait l'air beaucoup plus heureux qu'à son arrivée, et elle se prit à espérer que les services sociaux règlent le problème. Ce n'était pas juste que cet enfant vive dans la terreur.

Les visites du soir commençant un peu plus tard, elle retourna au bureau pour entrer les notes de Rex Manning dans l'ordinateur. Contrairement à Ryan, qui tapait tout lui-même, il confiait ce travail aux étudiants. Elle apprenait beaucoup de choses en lisant les observations du conseiller médical.

Elle était si absorbée par son travail qu'elle sursauta quand Penny entra dans la pièce, l'air anxieux.

— Pouvez-vous venir, Eve ? Le père de Charlie Lawrence est en train de faire des siennes, j'aurais besoin d'aide.

— Bien sûr, répondit-elle en se levant. Savez-vous ce qui s'est passé ?

— Il est arrivé de très mauvaise humeur, répondit Penny en la précédant jusqu'à la salle.

Elle fronça les sourcils. Même à distance, il était clair que Brian Lawrence était en rogne. Il lançait des regards furieux à sa femme, qui se recroquevillait sur sa chaise.

Quant au petit garçon, il se pelotonnait sous ses couvertures, se faisant le plus discret possible.

Il fallait rapidement prendre le contrôle de la situation.

— Appelez la Sécurité et demandez-leur d'envoyer quelqu'un d'urgence, dit-elle à Penny. Je vais voir si je peux calmer le jeu avant qu'ils n'arrivent.

— Soyez prudente, lui dit l'infirmière d'un air inquiet. Je ne voudrais pas que cet homme se défoule sur vous…

— Tout ira bien, dit-elle avec assurance, alors que son estomac se nouait d'appréhension.

Elle avait trop connu ce genre de situation pour que cela n'ait pas d'effet sur elle, mais elle refusait de se laisser déstabiliser. Il n'était pas question que cet homme terrorise sa femme et son fils au sein même de l'hôpital.

Amy Lawrence parut soulagée en la voyant, et Eve lui adressa un sourire rassurant.

— Bonjour, madame Lawrence. Est-ce que Charlie vous a montré la console sur laquelle il a joué ? Il se débrouille vraiment bien.

— Euh… Oui. Il adore ces jeux, répondit-elle avec une gaieté forcée.

Eve se tourna vers Brian Lawrence, qui menaçait toujours sa femme du regard.

— Pourquoi ne pas vous asseoir, monsieur Lawrence ? Je suis sûre que Charlie serait plus à l'aise.

— Je n'ai pas besoin de vos conseils, grogna l'homme.

Il fit un pas vers elle, et elle se retint de toutes ses forces de reculer. Si elle montrait la moindre trace de peur, la situation risquait de dégénérer.

Elle pria silencieusement pour que la Sécurité arrive rapidement.

— Peut-être pas, mais vous allez devoir soit vous calmer, soit partir, dit-elle d'un ton ferme.

— Je ferai comme je l'entends, répondit-il, nullement impressionné.

Il se rapprocha encore, et son visage rouge de colère fut bientôt à quelques centimètres du sien.

— Ce sont les gens comme vous qui créent des problèmes, en se mêlant de ce qui ne les regarde pas, dit-il, pointant un doigt accusateur sur elle. C'est vous qui avez alerté les services sociaux. Ils sont venus chez moi aujourd'hui me poser toutes sortes de questions. Ce que je fais chez moi ne regarde personne, c'est ce que je leur ai répondu avant de les jeter dehors. Et ils ont eu le culot de me dire qu'ils reviendraient avec la police ! Je ne le tolérerai pas, vous m'entendez ? Vous allez regretter de les avoir appelés !

Avant qu'elle n'ait eu le temps de réagir, il la saisit par le bras, la poussa à l'intérieur du bureau des infirmières et claqua la porte, faisant vibrer la vitre de verre.

A l'évidence, il ne se contrôlait plus, et elle sentit la peur s'insinuer en elle. Elle recula, mettant la largeur du bureau entre eux. Si elle tentait de sortir, il aurait probablement recours à la violence. En revanche, si elle gardait son sang-froid, elle parviendrait peut-être à le calmer. Elle devait éviter de le contrarier, jusqu'à l'arrivée de la Sécurité.

C'était simple en théorie, mais on ne pouvait avoir aucune certitude, avec un homme comme Lawrence. Comme elle l'avait appris à ses dépens dans le passé, il suffisait de très peu de choses pour que la situation ne se dérègle.

Tout à coup, elle se mit à souhaiter que Ryan soit là. Lui saurait quoi faire, il réglerait le problème. Mais il était absent. Il devait être en compagnie de son rendez-vous galant, et elle se retrouvait seule.

Ryan était en train de se préparer des œufs brouillés quand le téléphone sonna. C'était toujours comme ça quand il se faisait à manger.

Coinçant le récepteur contre son oreille, il continua à remuer avec la fourchette.

— Sullivan.

— Ryan, c'est Penny. Je suis désolée de vous appeler chez vous, mais nous avons un gros problème.

— Pourquoi, que se passe-t-il ? demanda-t-il en glissant les œufs dans une assiette, qu'il porta sur la table.

— Brian Lawrence s'est enfermé dans le bureau des infirmières. Les agents de sécurité sont là, mais ils n'arrivent pas à le persuader de sortir.

Il l'entendit pousser un long soupir.

— Et ce n'est pas le pire, dit-elle. Il a pris Eve avec lui et refuse de la relâcher.

— Quoi ?

Ses jambes vacillèrent et il dut s'asseoir.

— Racontez-moi tout depuis le début…

Plus Penny parlait, plus il était rempli d'horreur. Comment croire ce qu'il entendait ?

Eve était en danger, il ne fallait surtout pas qu'il lui arrive quoi que ce soit.

— J'arrive, dit-il. Quelqu'un a-t-il prévenu la police ? Sinon, téléphonez-leur immédiatement. De mon côté, j'appelle Rex Manning. Il faut qu'il s'occupe de faire évacuer les enfants.

Il le joignit tout de suite et lui expliqua brièvement la situation. Rex appela Roger Hopkins, le directeur de l'hôpital.

Cinq minutes plus tard, Ryan roulait en direction de l'hôpital. Agrippé à son volant, il pria pour que rien n'arrive à Eve. Après tout ce qu'elle avait subi dans le passé, elle devait être terrifiée.

S'il ne s'était pas conduit comme un idiot en prétendant avoir un rendez-vous, il n'aurait pas quitté l'hôpital aussi tôt et rien de tout cela ne serait arrivé. Il se moquait bien des autres femmes. Seule Eve l'intéressait, et il allait tout faire pour qu'elle le sache !

15.

— Cela ne vous mènera à rien, monsieur Lawrence. Vous ne faites qu'aggraver votre cas, dit Eve, s'efforçant de maîtriser le tremblement de sa voix.

Ils étaient enfermés depuis près d'une heure, mais il ne semblait pas prêt à abandonner et faisait les cent pas, lançant des coups d'œil furieux aux gens qui s'étaient rassemblés de l'autre côté de la vitre.

— Taisez-vous ! cria Lawrence en la fixant avec colère. Tout est votre faute. Si vous n'aviez pas alerté les services sociaux, rien de tout ça ne serait arrivé !

Elle faillit éclater de rire. C'était classique, chez les hommes comme Lawrence, de blâmer les autres plutôt qu'eux-mêmes.

— Vous pourrez donner votre version quand ils vous interrogeront, répondit-elle avec calme.

— Je n'ai pas à me justifier. Je traite mon enfant comme je l'entends.

Elle ne répondit pas, préférant ne pas le contrarier. En regardant à travers la vitre, elle s'aperçut que la plupart des lits de la salle avaient été déplacés.

A cet instant, elle réprima une exclamation en apercevant Ryan et Rex Manning. Tous deux avaient l'air sombre.

— Monsieur Lawrence, je vous informe que nous avons prévenu la police, dit Ryan. Il vaudrait mieux pour vous que vous sortiez avant qu'elle n'arrive.

— Je sortirai quand j'en aurai envie, cria Lawrence.

D'un geste vif, il arracha Eve de sa chaise et la poussa sans ménagement contre la vitre.

— Si vous entrez de force, je vous promets qu'elle va le sentir passer, dit-il.

— Ce n'est pas en menaçant le Dr Pascoe que vous allez arranger votre affaire, dit Ryan d'une voix glaciale.

Mais sous la fermeté qu'il affichait, Eve sentit sa peur pour elle, et cela lui fit chaud au cœur. Ryan tenait vraiment à elle, elle en était sûre à présent. Aussitôt elle se sentit mieux.

— Si vous la laissez sortir, je vous promets de dire à la police que vous avez coopéré, dit Ryan.

Lawrence éclata d'un rire bref.

— Oh ! vraiment ? Vous savez très bien que la police n'en a rien à faire. Le Dr Pascoe est ma monnaie d'échange et elle va m'aider à sortir d'ici… Oh ! et j'ai également l'intention d'emmener mon fils avec moi.

Il abaissa le store vénitien avant de lâcher Eve.

Elle s'assit en silence, s'efforçant de garder son calme. Lawrence ne semblait pas décidé à la libérer de sitôt, à moins qu'il ne retrouve son bon sens. Mais elle avait le cœur plus léger : au moins, Ryan était là, il ferait tout pour qu'elle s'en sorte sans incident…

Résumant la situation à l'officier de police, Ryan avait du mal à contenir son inquiétude. Eve était réellement en danger avec ce forcené, il fallait qu'elle sorte de là le plus vite possible. Le policier alla faire le point avec ses collègues : ils devaient élaborer un plan qui assurerait sa sécurité.

Le cœur lourd, Ryan se tourna vers Rex Manning.

— On doit pouvoir faire quelque chose pour la libérer, non ?

Rex secoua la tête.

— Si on tente quoi que ce soit, Eve risque d'être blessée. Mieux vaut laisser la police intervenir.

Tandis que Rex rejoignait Roger Hopkins, Ryan interrogea Penny.

— Comment vont les enfants ? Avez-vous trouvé de la place pour tous ?

— Difficilement, répondit l'infirmière. On les a répartis dans tout l'hôpital, du mieux que l'on a pu.

— Et Charlie et sa mère ? Ont-ils été installés dans le service de grande dépendance, comme je l'avais suggéré ?

— Oui. Charlie a l'air plutôt calme, mais sa mère est bouleversée. Je vais lui apporter une tasse de thé pour la réconforter.

— Bonne idée. Pendant que vous la préparez, je vais aller lui parler.

Une femme officier de police, qui se trouvait à l'entrée du service de grande dépendance, le laissa passer après avoir vérifié son badge.

Mme Lawrence lui demanda des nouvelles d'Eve.

— Elle est toujours entre les mains de votre mari, dit-il à voix basse pour ne pas être entendu de Charlie. Il a l'intention de l'utiliser pour négocier, et projette d'emmener Charlie avec lui.

— Non ! s'écria Amy Lawrence, livide. Vous ne pouvez pas le laisser prendre Charlie. Qui sait ce qu'il est capable de lui faire ?

— Votre mari est-il responsable de sa fracture à la jambe, demanda Ryan.

— Oui. Ainsi que de nombreuses autres blessures.

Elle secoua la tête d'un air las.

— J'aurais dû le quitter la première fois qu'il a frappé Charlie. Il me promettait tout le temps qu'il ne recommencerait pas, mais il n'a jamais tenu parole. Si Charlie faisait quelque chose qui le contrariait, il explosait aussitôt.

— Est-ce qu'il vous frappe, vous aussi ?

— Non. Il est jaloux de notre fils. Il pense que je l'aime plus que lui. Cela allait encore quand Charlie était bébé, je le mettais dans son berceau si Brian était de mauvais poil. Mais ensuite, ça n'a plus été possible. Je suis sur les nerfs chaque fois que mon mari rentre du travail, je crains toujours qu'il ne s'en prenne à Charlie pour un oui ou pour un non.

Ryan soupira. Il ne parvenait pas à comprendre ce genre d'attitude. S'il avait un enfant, il l'aimerait sans réserve et Eve serait comme lui, il le savait.

Il fut pris de court : c'était la première fois qu'il envisageait la possibilité d'avoir un bébé. Car, tout d'un coup, cela ne lui paraissait plus une chose impossible.

Si Eve et lui avaient un enfant, ils l'aimeraient, sans conditions. Ils joindraient leurs efforts pour que, même si leur fils ou leur fille avait hérité du gène de la maladie, il ou elle puisse jouir d'une longue et heureuse vie. Après tout, il existait des médicaments qui contrôlaient cette maladie, et ses cousins, qui en bénéficiaient, se portaient très bien.

Quand il reprit le chemin de la salle, la tête lui tournait. C'était comme si toutes les objections au fait d'avoir une famille avaient été balayées d'un seul coup. Avec stupéfaction, il se rendait compte qu'il pouvait tout avoir — le mariage et les enfants, tout ce à quoi il avait cru devoir renoncer… Si Eve était prête à courir le risque.

Elle était seule à pouvoir prendre cette décision.

A 9 heures du soir, le problème était loin d'être résolu. Eve avait des élancements dans la tête tant elle était tendue. Elle ferma les yeux pour ne pas être gênée par le néon du plafond.

Brian Lawrence avait cessé de faire les cent pas et se tenait près de la porte. Il paraissait enfin s'être calmé.

— Je veux sortir d'ici ! explosa-t-il soudain.

Elle ouvrit brusquement les yeux.

— Vous voulez vous rendre ? demanda-t-elle, secrètement soulagée.

— Pas du tout.

Il s'approcha du bureau et la prit par les deux bras, la forçant à se lever.

— Je vais partir et vous emmener avec moi.

Il éclata d'un rire mauvais.

— En fait, je vais m'évader grâce à vous.

Lui passant son bras autour du cou, il l'entraîna jusqu'à la porte. Elle tenta vainement de se dégager : il ne fit que resserrer son étreinte.

D'un coup de pied, il poussa la porte et toisa les gens qui attendaient de l'autre côté. Elle aperçut plusieurs policiers, ainsi que Roger Hopkins et Rex Manning. Mais il n'y avait pas trace de Ryan, et son cœur se serra. Etait-il possible que, la situation n'évoluant pas, il soit retourné à son rendez-vous ? Comment croire cela ?

— Si quelqu'un essaie de m'arrêter, c'est elle qui paiera, fit Lawrence d'un ton menaçant quand un policier fit un pas en avant. Je pars en emmenant le docteur, et Charlie, avec moi.

Il jeta un coup d'œil circulaire à la salle vide, semblant seulement remarquer que les enfants n'étaient plus là.

— Où est-il ? demanda-t-il d'une voix forte.

— Votre fils va très bien, répondit Rex Manning. Si vous laissez partir le Dr Pascoe, je vous emmènerai le voir.

Lawrence éclata d'un rire méprisant.

— Vous me prenez pour un imbécile ? Si je la relâche, ce sera fini.

Son étreinte se resserra autour du cou d'Eve, qui dut chercher de l'air.

— Vous feriez mieux de me dire rapidement où est Charlie, dit-il, menaçant.

— Dans le service de grande dépendance, répondit un des policiers.

L'étreinte se desserra autour du cou d'Eve, et elle inspira une grande bouffée d'air. Des points noirs dansaient devant ses yeux et sa gorge lui faisait mal. Elle fit un énorme effort pour ravaler sa peur quand Lawrence l'entraîna vers la porte. Il devait connaître les lieux, car il tourna immédiatement à droite.

Du coin de l'œil, elle eut juste le temps de percevoir un

mouvement très rapide et se retrouva par terre. Stupéfaite, elle vit Ryan aux prises avec Lawrence. Il y eut une courte lutte puis deux policiers accoururent et maîtrisèrent rapidement le forcené.

Ryan tomba à genoux près d'elle.

— Est-ce que ça va ? demanda-t-il, haletant.

— Je… Je…

Sous le choc, elle ne pouvait articuler un mot et il la regardait avec inquiétude.

— Eve, ma chérie, parle-moi !

Ses mains tremblantes entourèrent son visage.

— J'ai juste besoin de savoir que tu vas bien.

Elle se sentit envahie par le soulagement. Après avoir échappé à Lawrence, elle prenait soudain conscience à quel point elle s'était trompée. Non seulement Ryan tenait à elle, mais il l'aimait. Vraiment.

— Tout va bien, répondit-elle d'une voix rauque.

Des larmes de joie coulèrent sur ses joues et elle sourit à travers elles.

— Je vais parfaitement bien, maintenant.

Sans rien dire, il la prit dans ses bras et la serra longuement contre lui, comme s'il ne voulait plus jamais la relâcher. Cela tombait bien, c'était exactement ce qu'elle désirait.

Indifférente aux gens qui se trouvaient autour, elle le regarda droit dans les yeux.

— Je t'aime, Ryan. Et quels que soient les problèmes que nous rencontrerons, je t'aimerai toujours.

— Je t'aime aussi.

Il l'embrassa longuement, sa bouche lui disant tout ce qu'elle avait besoin de savoir.

Sans doute devraient-ils faire des compromis et réfléchir de nouveau à la possibilité d'avoir une famille. Mais elle savait qu'elle pourrait le faire, tant qu'il serait près d'elle. Il était tout pour elle, elle ne pouvait pas supporter de le perdre.

Leur baiser fut interrompu par une toux discrète qui les ramena sur terre. Ryan rit en l'aidant à se relever.

Un policier s'approcha et dit à Eve qu'il allait avoir besoin de son témoignage. Ils se rendirent au bureau, où elle raconta en détail ce qui s'était passé. Puis elle répéta son histoire à Roger Hopkins. Quand elle eut fini, elle était épuisée. Mais elle n'avait pas achevé sa journée de travail.

Elle se leva en soupirant. Elle n'avait qu'une envie : rentrer chez elle et dormir.

— Bien, tout est arrangé, dit Ryan en réapparaissant. Tu peux partir, je reste à ta place.

— Oh ! mais je…

Elle tenta de protester, mais il la fit taire d'un baiser. Elle se voyait très bien obéir souvent à ce genre d'injonction !

— C'est très égoïste de ma part, dit-il. Je préfère te savoir en sécurité au lit.

— Dans ce cas, je n'ai guère le choix, répondit-elle en souriant, surprise de se sentir soudain aussi confiante.

C'était comme si tous ses doutes s'étaient évanouis. Elle était sûre de ce qu'elle devait faire et savait ce qu'elle voulait : la même chose que Ryan.

— D'accord. Je rentre chez moi, mais à une condition.

— Laquelle ?

— Que tu me rejoignes dès que tu auras fini.

Le soleil pénétra par la fenêtre de la chambre, déposant un rayon doré sur la peau d'Eve. Couché sur le côté, Ryan regardait sa main suivre les douces rondeurs de son corps.

Il était rentré directement chez elle après le travail, utilisant la clé qu'elle avait laissée sous le paillasson pour entrer. Il avait pensé la trouver endormie, mais elle l'attendait. Ils avaient fait l'amour aussitôt, sans perdre de temps, tant l'urgence était grande pour eux de se retrouver.

Tous deux savaient à quel point ils avaient été près de se perdre et ils avaient eu besoin de réaffirmer leur amour.

A présent, il voulait être sûr qu'elle comprenait ce que cela signifiait s'ils restaient ensemble.

Il eut un pincement au cœur en y pensant.

— Je t'aime, dit-elle dans un murmure.

Sa voix était tendre, profonde, et il frissonna. Avait-il raison d'accepter son amour ? Et si un jour, elle regrettait d'être tombée amoureuse de lui… ?

— Ça y est, tu recommences, Ryan. Tu tritures le problème dans tous les sens.

Elle posa sa main sur sa joue.

— Parce que je t'aime, je suis prête à tout affronter, dit-elle.

— Même si nous avons un enfant atteint de la maladie ? demanda-t-il avec anxiété.

— Oui, même ça, répondit-elle avec une tranquille assurance. Je l'aimerai comme je t'aime. Et nous serons ensemble pour faire face au problème.

Il avait très envie de la croire, mais…

— Es-tu certaine de pouvoir supporter cette pression, Eve ? Je sais par quoi mes parents sont passés. Ils avaient beau être assurés que je ne risquais rien, ils s'inquiétaient constamment pour moi. Je ne voudrais pas que tu traverses tout ça, mon amour.

— Même si ce n'est pas facile, j'y arriverai, du moment que nous sommes ensemble. Si c'est ce que tu veux, bien entendu ?…

Il fronça les sourcils.

— Naturellement. Il n'y a rien que je veuille davantage.

— Vraiment ?

Elle se mordit la lèvre.

— Je sais que tu voyais quelqu'un d'autre, alors je préférerais que tu sois tout à fait sincère…

Il éclata de rire et, la soulevant dans ses bras, l'embrassa éperdument.

— Je n'ai personne d'autre, Eve. J'ai juste voulu faire l'intéressant devant Marie, je ne voulais pas admettre que j'avais le cœur brisé par notre séparation.

— Oh.

Il lui prit de nouveau les lèvres, et une nouvelle vague de désir les submergea.

Cette fois, ils firent l'amour lentement, avec une profondeur et une intensité qui leur fit monter les larmes aux yeux.

— Avec toi, je me sens complète, dit-elle tout bas. C'est comme si je me redécouvrais, et que je retrouvais celle qui m'a manqué pendant si longtemps. Je sais que j'ai pris la bonne décision, je ne la regretterai jamais. Je pourrai tout affronter, tant que tu seras à mes côtés.

Elle l'embrassa tendrement.

— Je t'aime tant… Je comprends que tu sois inquiet, mais c'est inutile. Je sais ce que je fais, Ryan. Pour la première fois depuis des années, je sais que je suis capable d'affronter les aléas de la vie.

— Tu en es sûre ? demanda-t-il d'un air dubitatif.

— Absolument. L'ancienne Eve est de retour, celle qui savait toujours ce qu'elle voulait.

Elle déposa un baiser léger sur sa bouche et lui sourit.

— Et c'est toi que je veux !

Cinq ans plus tard

— Non ! Posez ça… Oh !

Les jumeaux dirigèrent le tuyau d'arrosage sur Eve, la trempant jusqu'aux os, et elle poussa une exclamation.

Elle fit mine de les attraper, mais ils avaient déjà pris leurs jambes à leur cou et disparu au fond du jardin. Adam et Liam étaient deux jeunes chenapans de trois ans, qui n'étaient jamais aussi heureux que quand ils faisaient des farces.

— O-oh. Ou bien tu as décidé de prendre une douche, ou bien ce sont les garçons qui t'ont eue.

Ryan sortit de la maison, une lueur d'amusement dans les yeux. L'entourant de ses bras, il l'embrassa, se moquant bien de ses vêtements trempés.

Elle se rappela leur joie lorsque les tests avaient révélé qu'aucun des enfants n'avait hérité du gène. Auparavant, Ryan avait été très inquiet, surtout quand ils avaient su qu'elle attendait des jumeaux. Mais Adam et Liam étaient deux petits garçons heureux et en pleine santé, malgré une certaine tendance à chercher les ennuis !

— Tes fils sont de vrais petits monstres ! dit-elle quand il la relâcha.

— Comment se fait-il que ce soient les miens quand ils ne sont pas sages, et les tiens le reste du temps ?

— Parce que c'est comme ça, répondit-elle avec aplomb.

Alors il la souleva dans ses bras pour la porter jusqu'au petit bassin que leurs fils étaient en train de remplir. Elle poussa un cri perçant.

— Ryan Sullivan, tu n'as pas intérêt à… Ryan, non !

L'eau froide la fit frissonner. Se relevant aussitôt, elle ramassa un seau en plastique jaune et le remplit.

— Tu vas le regretter…

Il tenta de l'éviter, mais elle fut plus rapide et l'eau l'atteignit en plein torse.

S'emparant du tuyau d'arrosage, il la poursuivit jusqu'à la maison et la rattrapa dans un grand éclat de rire.

— Bon. Nous sommes quittes, nous sommes trempés tous les deux, dit-elle.

Il la regarda avec tendresse et la prit dans ses bras.

— Sais-tu combien je t'aime, Eve Sullivan ?

— Assez pour laisser tomber ce tuyau ?

— Pour cette fois, j'y consens, répondit-il en l'embrassant.

Elle soupira de bien-être et ferma les yeux. Elle avait Ryan et leurs merveilleux petits garçons, et un métier qu'elle adorait. Elle avait tout ce dont elle avait rêvé et, pour parfaire le tout, elle s'était également retrouvée.

Nouant les bras autour du cou de Ryan, elle l'embrassa à son tour. Elle était la femme la plus heureuse du monde !

BRENDA HARLEN

Un amour inattendu

Cet ouvrage a été publié en langue anglaise
sous le titre :
FROM NEIGHBORS… TO NEWLYWEDS ?

Traduction française de
ANOUK

83-85, boulevard Vincent-Auriol, 75646 PARIS CEDEX 13.
Service Lectrices — Tél. : 01 45 82 47 47
www.harlequin.fr

Je dédie ce livre à Brett, mon beau-
frère… devenu mon « frère de cœur ».
Un vrai héros romantique…

1.

La maison était enfin silencieuse, et c'était merveilleusement reposant.

Soulagée, Georgia Reed s'assit à son bureau, en réalité la vieille table de bois de la salle à manger. Elle espérait un répit d'au moins une heure : elle aurait enfin le temps de se remettre à la lecture du manuscrit qui l'attendait depuis déjà trop longtemps ! Mais elle tombait de fatigue et une petite sieste aurait été si tentante… Un luxe qu'elle ne s'autoriserait pas. Elle avait tant à faire ! Et pour cause…

Officiellement en congé maternité, elle n'en restait pas moins éditrice associée chez Tandem Publishing. Du coup, elle acceptait ponctuellement du travail. Point positif : elle percevait une rémunération complémentaire plus que bienvenue. Point négatif : elle n'était pas aussi efficace qu'elle l'aurait espéré… Surtout depuis qu'elle avait déménagé de New York pour s'installer ici, à Pinehurst, avec ses trois enfants. Six semaines s'étaient déjà écoulées sans qu'elle voie le temps passer… Et elle n'avait quasiment pas travaillé.

Elle but quelques gorgées de la tisane qu'elle venait, pour la troisième fois, de réchauffer, et relut, en diagonale, le chapitre qu'elle devait annoter. Elle avait totalement oublié de quoi il était question, forcément !

Elle parcourut les mots, s'efforçant de se concentrer. D'un moment à l'autre, son bébé risquait de se réveiller. La petite Pippa avait le sommeil agité, surtout la nuit, mais les coliques dont elle souffrait semblaient s'aggraver…

Au bout d'une demi-heure de travail étonnamment productif, elle se rendit compte que quelque chose clochait. Inquiète, elle tendit l'oreille… Oui, soudain, la maison était devenue *beaucoup* trop calme.

Elle se leva d'un bond et se précipita dans le salon où elle avait laissé ses jumeaux, Quinn et Shane, quatre ans, en train d'empiler sagement des cubes de bois. Les jouets jonchaient le tapis, mais la pièce était… vide.

La gorge sèche, elle gagna le couloir. La porte d'entrée était grande ouverte. Bon sang, sortis tous les deux ? Si facilement ? Elle avait dû oublier de fermer le verrou à double tour ! Comment une telle négligence était-elle possible ?

Attrapant l'écoute-bébé sur le buffet, elle se rua dehors.

— Quinn ! Shane ! Où êtes-vous ?

Aucune trace de ses enfants dans le jardin.

Jetant un rapide coup d'œil autour d'elle, elle se dirigea vers le portail…

Egalement ouvert. Incroyable !

Une main en visière, elle scruta l'allée bordée d'arbres, puis la petite route qui traversait la résidence. Le soleil brillait, comme chaque jour depuis le début de ce mois de mai, illuminant les haies bien taillées, les gazons verdoyants… Et l'absolue tranquillité du lieu.

— Quinn ! Shane ! cria-t-elle. Revenez tout de suite !

Un affreux sentiment de panique commençait à l'envahir quand tout à coup, surgissant de nulle part, un homme grand, aux épais cheveux bruns en bataille, s'avança vers elle d'un pas vif. Elle crut le voir sourire d'un air engageant.

Tandis qu'il s'approchait, elle fut traversée par deux questions simultanées. D'où venait-il ? Et comment pouvait-il avoir les yeux aussi bleus ? L'absurdité de cette interrogation, compte tenu de la situation, augmenta sa confusion.

— Bonjour, je suis Matt Garrett, dit-il d'une voix aussi posée que chaleureuse.

Elle le dévisagea, incrédule.

— Matt Garrett ?

Et alors ?

Pourtant, malgré elle, elle le trouvait terriblement séduisant.

— J'habite la maison d'à côté, juste là.

Il désigna la villa située à une cinquantaine de mètres de la sienne.

— Ne vous inquiétez pas, vos enfants sont chez moi, ajouta-t-il.

— Chez vous ? demanda-t-elle, criant presque.

Il l'observa en ébauchant un sourire désarmant. Il était décidément… beau. Très beau. Comme si le mélange d'indignation et de trouble qu'elle éprouvait ne suffisait pas.

— Plus précisément, ils sont dans le jardin à l'arrière de chez moi, dit-il. Ils ont couru après le chiot, qui s'est échappé et s'est retrouvé dans votre jardin.

— Quel chiot ?

— Ah, vous ne l'avez pas vu ? Bon, suivez-moi…

Médusée, elle fixa l'écoute-bébé à la ceinture de son jean et lui emboîta le pas. Tout en marchant, elle se rappela avoir remarqué un camion de déménagement quelques jours plus tôt dans leur rue. En revanche, elle n'avait encore jamais vu l'occupant des lieux. Elle s'en serait souvenue…

Quelques secondes plus tard, après avoir contourné la villa de Matt, elle aperçut ses deux fils assis dans l'herbe, en train de jouer avec quatre chiots noir et blanc qui jappaient joyeusement. Ils étaient sous un cerisier dans lequel se trouvait une cabane de bois. Ni Quinn ni Shane, bien trop occupés, ne jetèrent un coup d'œil vers elle.

L'espace d'un instant, elle fut partagée entre le besoin de les gronder et l'envie de sourire, soulagée et heureuse de les voir s'amuser autant. Leurs rires cristallins s'élevaient dans l'air…

En un clin d'œil, sa colère et sa peur s'évanouirent.

Elle reporta son attention sur l'homme qui se tenait près d'elle. Lui aussi contemplait le spectacle, visiblement attendri.

— Tous ces chiens sont à vous ? demanda-t-elle.

— Oh ! non ! Je les ai recueillis le temps que mon frère Luke, qui est vétérinaire, leur trouve des familles d'accueil. Quelqu'un a amené leur mère, un beagle, à sa clinique. La pauvre avait été abandonnée, sans doute parce qu'elle était pleine : elle a donné naissance à huit petits.

— Huit ?

Elle croisa le regard de Matt et, malgré elle, son cœur battit plus vite. C'était la première fois depuis longtemps qu'elle réagissait ainsi, comme si elle était à fleur de peau. Depuis la mort de Phillip, en fait.

— C'est beaucoup !

Il acquiesça d'un air entendu.

— Les quatre premiers sont déjà placés. Il nous reste ceux-là…

— Ils sont bien petits pour être loin de leur mère.

— Ils n'ont pas le choix, fit-il avec une moue attristée.

Devinant que la femelle n'avait pas survécu, Georgia apprécia qu'il s'abstienne de tout autre commentaire en présence des enfants.

— Il est trop mignon ! s'écria Shane en caressant l'un des bébés.

— Maman, on peut en garder un ? demanda Quinn, souvent plus direct que son frère.

Elle secoua la tête. Elle aimait faire plaisir à ses enfants, mais, à certains moments, il fallait savoir dire non ! Maintenant, par exemple.

— Mes chéris, en ce moment, vraiment, ce n'est pas possible.

— Allez, maman ! dit Quinn d'une voix suppliante. S'il te plaît !

Il souleva l'un des chiots et le lui apporta. Alors qu'à contrecœur Georgia le prenait contre elle, l'animal lui lécha affectueusement le visage.

— Il t'aime déjà ! dit Shane.

— *Elle*. C'est une femelle, dit Matt en souriant.

Puis il s'adressa aux deux garçons :

— Maintenant, obéissez à votre maman, et rentrez chez vous ! Mais si vous voulez, vous pourrez revenir voir les bébés chiens.

Elle le regarda, stupéfaite. De quel droit évoquait-il cette possibilité sans lui avoir auparavant demandé son avis ? Il la regarda au même instant, et dut deviner sa réserve car il ajouta aussitôt :

— Si vous êtes d'accord, naturellement.

— On verra, fit-elle en marmonnant, de mauvaise humeur tout à coup.

La fatigue, sans nul doute. Plus l'émotion causée par l'escapade de ses fils. Et cette rencontre déconcertante avec ce séduisant voisin.

Oui, en effet. Difficile de le nier.

A cet instant, l'écoute-bébé s'enclencha, laissant s'échapper des gazouillis qui, très vite, se transformèrent en plaintes et gémissements.

— Pippa se réveille ! Allez, on se dépêche, dit Georgia aux garçons.

Sentant que Matt l'observait avec curiosité, ce qui la perturba davantage encore, elle attrapa les jumeaux par la main.

— Et remerciez M. Garrett !

— Qu'ils m'appellent Matt… Et vous aussi. Pas de manière entre voisins, pas vrai ?

Elle se força à sourire.

— D'accord. Je vous remercie. Ah, au fait, je suis Georgia Reed.

— Enchanté, Georgia.

Elle croisa son regard et, de nouveau, fut frappée par l'intensité de ses prunelles bleues.

— Donc… Shane et Quinn reviendront peut-être jouer avec les chiots si, vraiment, ça ne vous dérange pas, dit-elle.

— Aucun problème. Je ne les aurai pas pour longtemps, ces petits chiens… Enfin, je l'espère, cela voudrait dire qu'ils auront été placés. En attendant, qu'ils en profitent, répondit-il gentiment.

— Profiter, qu'est-ce que ça veut dire ? demanda Quinn.

— Je t'expliquerai pendant que je nourrirai Pippa, dit-elle tandis que l'écoute-bébé diffusait maintenant de petits hoquets de plus en plus impatients. Elle a très faim !

— Quel âge a Pippa ? demanda Matt.

— Quatre mois. Et mes fils quatre ans. Je n'ai pas le temps de m'ennuyer ! fit-elle d'un ton léger. Sur ce, on file !

Et elle emmena ses deux fils qui, de toute évidence, n'avaient aucune envie de rentrer.

— Dis, maman, tu as vu la cabane dans l'arbre ? Tu as vu ? répétait Shane.

— On pourra y grimper ? demanda Quinn.

Prudente, elle ne répondit pas mais pressa le pas. Tenant ses deux garçons par la main, elle résista tant bien que mal à une soudaine envie de se retourner. Dans son dos, Matt les regardait, elle en était certaine. Sans doute devait-il la trouver bien stressée…

Après avoir changé la couche de Pippa, Georgia prépara des petites pizzas individuelles, avec l'assistance de Quinn et Shane. Ils vidèrent allègrement tout le fromage râpé sur la sauce tomate, et renversèrent sa dernière bouteille de lait. C'était la dernière chose qu'elle avait envie de faire, mais quelques courses à la supérette du quartier s'imposaient. Comme il faisait beau, et que ses fils débordaient d'énergie, elle décida de s'y rendre à pied au lieu de prendre sa voiture. C'était un break spacieux mais parfois difficile à garer.

Les jumeaux refusaient désormais de s'asseoir dans la double poussette, sous prétexte qu'ils étaient « grands, maintenant ! » Néanmoins, sur le chemin du retour, ils seraient fatigués. Elle installa donc Pippa dans le porte-bébé et emporta quand même la poussette.

Alors qu'ils descendaient l'allée en direction de la rue, elle aperçut Matt devant son garage, en train de ranger des cartons. Il lui adressa un sourire amical, auquel elle répondit poliment avant d'accélérer l'allure, le cœur battant. Troublée, encore. Décidément !

Depuis la mort de Phillip, qui avait succombé à une crise cardiaque, elle ressentait souvent une tristesse sourde mêlée de lassitude ou de fatigue, parfois de découragement. Qu'elle réagisse ainsi, aussi viscéralement, en présence du voisin, la stupéfiait. En même temps, était-ce réellement étonnant ? Matt Garrett était le genre d'homme que toutes les femmes devaient trouver attirant ! Physiquement parlant, il cumulait les atouts : mince, large d'épaules, le regard d'un bleu envoûtant… Et pour ne rien gâcher, il semblait si sympathique !

Mais elle n'avait aucune envie de se sentir déstabilisée par un homme, quel qu'il soit, voisin, collègue ou autre. Quand elle s'était retrouvée face à lui, dans son jardin, elle avait d'abord été déconcertée par son incroyable naturel avec les jumeaux. Puis elle avait été à la fois intriguée et mal à l'aise, craignant de déranger… Ou, pire encore, d'être considérée comme une mauvaise mère parce que ses fils avaient échappé à son attention !

Mais il y avait autre chose. Compte tenu des circonstances, l'impact de la présence de cet inconnu sur elle dépassait l'acceptable.

Tout en regardant Shane et Quinn qui marchaient tranquillement devant elle, elle se remémora leur père. Elle avait épousé Phillip cinq ans plus tôt, alors qu'elle n'avait que vingt-six ans, et Phillip, vingt-huit. Entre eux, ça n'avait pas été passionné, loin de là… Toutefois, auprès de son mari, elle s'était sentie aimée, comblée et rassurée. L'essentiel, à ses yeux. Ils étaient sortis ensemble trois ans avant de se marier, et elle avait cru, vraiment cru, que ce serait pour la vie. Le sort en avait décidé autrement.

Chassant les idées noires qui l'assaillaient subitement, elle se dirigea vers la petite rue commerçante du quartier résidentiel de Pinehurst où elle s'était installée. Elle avait emménagé dans la maison où Charlotte, sa mère, vivait auparavant. Un arrangement pratique, qui lui avait permis de tourner la page plus facilement.

Ici, tout était tranquille, à échelle humaine. Comparé à New York, où elle avait habité Manhattan, quel microcosme extraordinairement silencieux et peu pollué ! C'était l'endroit idéal pour élever ses enfants : sa seule et unique préoccupation pour le moment.

Sa seule priorité…

2.

Trois jours s'étaient écoulés, et Matt ne cessait de s'interroger sur sa voisine et ce qu'il ressentait depuis leur rencontre fortuite. Parce qu'il la trouvait ravissante ? Parce qu'il l'avait sentie… au bord de la crise de nerfs ? Incroyablement sur ses gardes ? Il n'aurait su dire…

Lorsqu'il travaillait à l'hôpital, il se concentrait sur ce qu'il avait à faire, et rien ne le perturbait, ou très rarement. Il n'y avait eu que pendant son divorce qu'il avait trouvé difficile de s'abstraire de ses problèmes. Mais voilà qu'il se surprenait à penser régulièrement à Georgia. Comme à cet instant, alors qu'il venait de finir une consultation et qu'un autre patient l'attendait.

Peut-être était-ce aussi parce qu'il avait remarqué les cernes sombres sous ses yeux… Elle avait un bébé, sans doute était-ce l'explication… Sa petite fille ne devait pas faire ses nuits…

Quand il avait enfin décidé de déménager, Tina Stilwell, la responsable de l'agence immobilière qu'il avait contactée, lui avait promis de lui trouver une maison dans l'un des meilleurs quartiers de Pinehurst. Et elle avait tenu parole : l'endroit où il habitait dorénavant offrait tout ce qui rendait la vie plus agréable. Il y avait des espaces verts, des commerces de proximité… Et non loin, l'établissement hospitalier où il exerçait comme chirurgien orthopédique.

Mais bien sûr, Tina Stilwell ne lui avait pas précisé qu'il aurait pour voisine une jolie jeune femme blonde…

Une mère de famille qui, apparemment, élevait ses trois enfants seule. Il ne l'avait encore jamais vue en compagnie d'un homme.

Georgia… Elle s'appelait Georgia. Ce prénom lui allait à ravir. Elle était fine, pas très grande ; un visage à l'arrondi délicat, le teint doré éclaboussé de discrètes taches de rousseur, des lèvres adorablement ourlées, et des yeux d'un bleu lumineux dont il avait eu peine à détacher le regard.

Evidemment, les fils de Georgia avaient repéré la cabane dans le cerisier du jardin. Il avait eu du mal à les empêcher d'y grimper !

Debout devant la fenêtre de son bureau, il contempla le ciel, songeur. Dire qu'il vivait aujourd'hui dans une maison avec un jardin et une cabane pour enfants. A croire que le destin lui envoyait une flèche terriblement moqueuse…

Sans l'insistance de ses frères, Luke et Jack, il n'aurait sans doute pas eu le courage de déménager. Il serait resté encore longtemps emmuré dans ses souvenirs, ses regrets, sa tristesse. Il ne se sentait pas du tout prêt à éprouver de nouveau des sentiments…

Encore moins à faire confiance à une femme.

Pourtant, ce qu'il avait perçu dans le regard de Georgia l'avait étrangement ébranlé.

Quand Jack lui avait demandé pourquoi il avait choisi une maison avec quatre chambres et trois salles de bains, il avait répondu que c'était le pur hasard : Tina Stilwell lui avait déniché cette villa, certes très spacieuse, voilà tout.

Mais au fond de lui-même, peut-être commençait-il à avoir envie de reconstruire sa vie ?

Reconstruire… ou construire vraiment, réellement, puisqu'il ne l'avait pas fait avec son ex-femme. Sa profession de médecin, habitué à soigner et réparer des corps meurtris, abîmés, à tout mettre en œuvre pour que ses patients repartent en forme et continuent à vivre le mieux possible, déteignait peut-être sur sa conception de la vie ! Depuis son divorce, il avait eu de rares relations sans lendemain. L'éphémère, le superficiel ne l'intéressaient pas. Avec une femme, il avait besoin de partager des moments simples qui tissaient un lien profond : parler de tout et de rien pendant le dîner, regarder un film en mangeant du pop-corn, se prélasser sous la couette un dimanche matin pluvieux…

Peut-être n'avait-il pas su être un bon mari avec Lindsay. Il avait sûrement commis des erreurs.

Trois ans déjà s'étaient écoulés, et il n'avait rien oublié.

Revenant au présent, il se détourna de la fenêtre et jeta un coup d'œil à la liste de consultations. Puis il but une gorgée d'eau et, s'obligeant à sourire, sortit accueillir son prochain patient.

Georgia s'engagea dans Larkspur Drive. Elle devait vite se remettre à la lecture de ce manuscrit qu'elle négligeait vraiment depuis trop longtemps. Ensuite, pendant que ses enfants joueraient — sous sa surveillance ! —, peut-être ferait-elle un peu de jardinage. Cela l'aiderait à se détendre. Elle n'avait pas beaucoup dormi ces dernières nuits. Pippa s'était réveillée encore plus souvent que d'habitude, toujours en proie à des crises de coliques. Le pédiatre lui avait donné un traitement qui, pour l'instant, demeurait inefficace…

Pour ne rien arranger, Georgia avait éprouvé un véritable tumulte intérieur suite à sa rencontre avec Matt. Elle ne l'avait pas revu depuis, et c'était tant mieux. Une chance, aussi, que Shane et Quinn ne parlent plus d'aller jouer avec les chiots de son trop séduisant voisin !

Mais, quelques secondes plus tard, alors qu'elle s'apprêtait à se garer devant chez elle, elle sut immédiatement qu'ils allaient réclamer ce qu'elle redoutait… Et que son programme tomberait à l'eau.

En jean et T-shirt, Matt tondait le gazon parsemé d'herbes sauvages qui poussaient le long de *sa* clôture.

Les garçons se précipitèrent hors de la voiture, et alors qu'elle détachait Pippa de son siège, Matt la rejoignit.

— Vous voulez un coup de main ? demanda-t-il en désignant les sacs de courses entassés à l'arrière du véhicule.

Elle se tourna vers lui et, comme lors de leur première rencontre, son pouls s'accéléra. Il lui souriait gentiment, et elle remarqua les fines rides au coin de ses yeux. Son T-shirt gris moulait son torse musclé. Avec sa barbe naissante et ses cheveux ébouriffés, il incarnait l'homme viril par excellence.

Tout le contraire de Phillip.

— Oh… Merci, oui, pourquoi pas…

Les bras chargés, il la suivit dans la maison et déposa le tout sur le comptoir de la cuisine.

— On peut voir les chiots ? demanda Quinn.

Shane contemplait Matt en silence, mais son regard exprimait la même impatience.

— Allez ! dit Quinn.

Georgia se mit à ranger ses provisions. Et voilà… Comment pourrait-elle leur refuser d'y aller ?

— Ils ne sont pas chez moi, aujourd'hui, répondit alors Matt.

— Où ils sont ? demandèrent les deux enfants en même temps.

— Chez mon frère Luke, à la clinique vétérinaire.

— Il est docteur pour animaux ? demanda Shane.

— Oui, Luke est vétérinaire. Et moi, je suis docteur pour humains, dit Matt.

Georgia lui jeta un coup d'œil, incapable de cacher son étonnement.

— Vous êtes médecin ?

— Chirurgien, plus précisément. Spécialisé en orthopédie. Je travaille à l'hôpital de Palm Street.

— Ce n'est pas loin d'ici, dit-elle, chassant le trouble qui, de nouveau, l'envahissait.

Il suffisait qu'il la regarde pour qu'elle sente son cœur battre trop vite.

— Oui. C'est un des intérêts de ma nouvelle vie dans ce quartier, répondit Matt. J'ai considérablement réduit mon temps de transport ! Il peut y avoir beaucoup d'embouteillages dans le centre-ville de Pinehurst.

— Je n'aurais jamais cru ça… Mais je l'ai remarqué, en effet. En m'installant ici, je pensais ne plus jamais rencontrer de problèmes de circulation !

— Où étiez-vous, avant ?

— A Manhattan.

Il esquissa une moue.

— Ça doit vous changer, de vivre dans une petite ville de Caroline du Nord…

— En bien. Vraiment en bien, dit-elle dans un murmure en commençant à ranger ses courses.

Elle aurait voulu que la conversation s'arrête là, qu'il s'en aille… Mais à ce moment-là, Pippa, qui était toujours sanglée dans son siège auto, se mit à pleurnicher.

— Elle a faim…

— Je peux la prendre dans mes bras pendant que vous préparez son biberon, si vous voulez, dit-il.

Surprise, elle l'observa. Il paraissait si décontracté, si sûr de lui…

Sûr de son charme, sans aucun doute.

— Pippa ne boit pas de biberon, sauf occasionnellement. Je l'allaite encore… Et elle n'a pas trop l'habitude d'être portée par des gens qu'elle ne connaît pas, dit-elle, de nouveau assaillie par des émotions contradictoires. Elle risque de pleurer encore plus.

Mais ce ne fut pas du tout le cas. Au contraire, dès que Matt la serra contre lui, Pippa le dévisagea longuement avec de grands yeux bleus brillant de curiosité. Elle se calma peu à peu et finit même par lui sourire.

— Eh bien, elle est adorable ! dit-il en la calant dans le creux de son bras.

— Elle pleure beaucoup, dit Quinn.

— Surtout la nuit, fit Shane.

Georgia étouffa un soupir et, croisant le regard interrogateur de Matt, expliqua que Pippa souffrait de crises de coliques.

— C'est ennuyeux, ça… Et vous ? Vous réussissez à dormir ? demanda-t-il en l'observant attentivement, presque avec inquiétude.

— Beaucoup moins depuis que ma mère est partie. Elle est venue me donner un coup de main, mais elle a dû repartir, elle a sa vie…

Pourquoi préciser que Charlotte, éternelle amoureuse, venait de rencontrer un nouveau compagnon, et qu'elle se comportait davantage comme une jeune femme surexcitée que comme une grand-mère ? C'était assez difficile à supporter, et au fond, malgré sa fatigue, Georgia était soulagée que Charlotte ne soit plus là.

— Le problème, c'est que je cours après le temps… pour tout, avoua-t-elle en continuant à ranger ses provisions. Il faut dire que je suis censée travailler encore un peu…

— Qu'est-ce que vous faites ?

— Je suis éditrice, et associée, donc je ne peux pas profiter pleinement de mon congé maternité.

— Je vois. Mais votre métier est intéressant, dit-il.

— Très. Encore faudrait-il que je puisse avoir une heure de libre pour…

— J'ai faim ! s'exclama Shane au même instant.

— Je prépare le déjeuner dans une minute.

— Je veux des pâtes ! lança Quinn.

— Et moi, des frites ! dit Shane.

— Désolés, mes petits cœurs, mais ce midi, on a des croque-monsieur. En attendant, si vous regardiez un dessin animé à la télé ?

Aussitôt, les deux garçons se précipitèrent dans le salon. Amusée et soulagée, elle sortit du lait et du yaourt des sacs de courses et les rangea dans le réfrigérateur.

— Puisque vous allaitez Pippa, vous devriez peut-être éviter les laitages, dit Matt. Les coliques peuvent être provoquées, ou aggravées, par une intolérance aux protéines du lait de vache… Celles que vous consommez, vous, la maman.

Elle le contempla en silence, soudain perplexe.

— Pourquoi mon pédiatre ne m'en a-t-il pas parlé ?

— Aucune idée.

— Oui, mais quand même… Changer d'alimentation est tellement logique, dit-elle, plus pour elle-même.

Elle s'en voulait presque de ne pas y avoir pensé.

— C'est une question de bon sens, effectivement, dit-il. Mais vous savez, certains médecins oublient parfois d'être pratiques. On s'intéresse aux traitements, on connaît les médicaments, la pharmacopée… Mais on n'envisage pas toujours l'évidence.

On… Il s'incluait, étant lui-même médecin. Elle apprécia son honnêteté.

— Et qu'est-ce que vous me suggéreriez à la place du lait de vache ?

— Le lait de soja, bien plus digeste.

— Parfait. J'essaierai. Merci du conseil, docteur ! dit-elle en souriant. Bon, c'est justement l'heure de sa tétée…

Il lui tendit le bébé, et elle installa tendrement sa fille contre elle. A présent, elle avait vraiment envie qu'il s'en aille.

— Merci encore de votre aide, dit-elle.

— De rien. Vous aviez besoin d'un coup de main, non ? dit-il en la regardant de nouveau avec une surprenante attention.

— C'est vrai. Je…

Elle faillit lui confier qu'elle en avait besoin tous les jours, vingt-quatre heures sur vingt-quatre, mais il risquerait d'interpréter cet aveu comme une invitation à lui rendre visite plus souvent. Or, elle ne savait pas trop quoi penser de sa générosité si spontanée.

— Eh bien, merci encore !

Il hocha la tête.

— De rien, vraiment, répéta-t-il.

Il se dirigea vers la porte et, avant de sortir, ajouta :

— Vous avez vu la cabane, dans mon jardin ? Eh bien, si vos enfants ont envie d'en profiter, qu'ils ne se gênent pas.

Surprise, et un peu gênée par cette nouvelle proposition, elle sourit.

— Oh… C'est gentil. Merci.

— Chouette, on pourra grimper dedans ? fit alors Shane depuis le salon.

Elle sentit sa gorge se nouer. Ses fils avaient entendu l'offre de Matt. Comment pourrait-elle refuser, maintenant ?

Mais pourquoi aurait-elle voulu refuser ? Pourquoi cherchait-elle à se fermer, à se barricader, alors que leur voisin se montrait si gentil et prévenant ?

La réponse était si claire, si simple, pourtant : parce qu'elle voulait se concentrer sur sa famille ; parce qu'elle ne se sentait pas disponible et qu'elle ne souhaitait pas vraiment que ses enfants aillent jouer *ailleurs*...

Mais subitement, croisant le regard bleu de Matt, elle ne fut plus sûre de rien. Et à sa propre surprise, elle répondit :

— Oui, mon chéri, puisque Matt est d'accord...

3.

Impossible de ne pas tenir parole… Chose promise, chose due. Les jours suivants, Georgia s'organisa donc pour faire plaisir à ses fils mais… en l'absence de Matt. Elle attendait qu'il soit parti pour autoriser Shane et Quinn à aller jouer dans la cabane. Elle en avait vérifié la hauteur, la solidité, l'assise, l'échelle… Elle les surveillait, mais en principe, ils ne risquaient rien. Du moins l'espérait-elle.

De même, elle espérait que Matt ne s'immiscerait pas trop dans leur vie. Quelque chose en lui déclenchait une curieuse sonnette d'alarme à son esprit. Et des battements de cœur qu'elle préférait résolument ignorer. Il était amical, et si sympathique avec les enfants ! Presque trop, d'ailleurs.

Et elle, trop fermée, probablement.

Elle manquait de légèreté, d'insouciance… Elle avait même oublié ce que cela signifiait. Au quotidien, elle cherchait à être… efficace. Oui, « efficace » était le mot qui convenait. Elle se débrouillait pour que ses trois enfants ne manquent de rien, et était heureuse de réussir à relever ce défi en dépit des difficultés qu'elle rencontrait : le manque de temps, la fatigue, la solitude aussi… Une si grande solitude.

Pour rien au monde, elle n'aurait avoué à quel point cela lui pesait. Au travail, ses collègues la laissaient tranquille et ne lui posaient aucune question indiscrète. Ses amis, tous à New York, s'inquiétaient parfois, mais elle affirmait fièrement qu'elle s'en sortirait.

Peut-être était-ce aussi pour cela, pour que personne ne

s'intéresse de trop près à sa vie, qu'elle avait déménagé. Si elle voulait se frayer un autre chemin, après l'épreuve terrible qu'elle venait de traverser et dont elle ne s'était pas totalement remise, il fallait qu'elle soit seule.

Matt ne pourrait pas comprendre tant qu'elle ne lui aurait pas expliqué… Si elle le lui expliquait un jour.

Pippa dans sa poussette, Georgia s'assit sur une chaise de jardin et regarda ses garçons jouer joyeusement. Les voir s'amuser ainsi la distrayait et lui mettait du baume au cœur. Elle adorait les écouter discuter, comme à l'instant, lorsqu'ils avaient grimpé dans la cabane. Mais Quinn parlait désormais avec animation, et Shane répondait brièvement.

— Mais si ! dit soudain Quinn avec force.

— Non, répondit Shane.

— Pourquoi ?

— Parce que !

Ils se disputaient ?

Une petite chaussure se posa en haut de l'échelle. Shane s'apprêtait à descendre.

— Attention ! cria Georgia, soudain mue par un mauvais pressentiment.

A la même seconde, le pied de Shane glissa.

Elle se leva d'un bond… Mais ne put arriver à temps pour empêcher son fils de tomber.

Le service des urgences de l'hôpital de Palm Street était inhabituellement calme en cette fin de matinée. Comme tous les médecins, Matt savait que ce serait un répit de courte durée. Mais depuis qu'il avait quitté le bloc à 8 h 30, il avait enchaîné les consultations et il apprécia le peu de tranquillité qui, enfin, s'offrait à lui.

Après une douche rapide, il gagna la cafétéria. Un bon café lui ferait le plus grand bien ! Parmi les personnes qui faisaient la queue devant le comptoir, il eut l'agréable surprise de reconnaître Brittney, la fille unique de Kelsey, son ex-belle-sœur. La jeune fille, étudiante en médecine et stagiaire, était comme sa nièce de cœur, et il l'adorait.

Il la rejoignit d'un pas vif et, sans détour, l'embrassa affectueusement sur le front.

— Salut, toi !

Brittney leva les yeux d'un air faussement indigné.

— Voyons, docteur Garrett, ce ne sont pas des manières !

— Toutes mes excuses, mademoiselle Hampton, dit-il, complice et cérémonieux.

Brittney avait choisi de travailler dans le même hôpital que lui sans lui en parler, afin d'être recrutée uniquement en fonction de sa motivation et de ses compétences, et non parce qu'elle connaissait le Dr Matthew Garrett. Elle avait réussi son pari. Depuis deux mois, elle se consacrait à sa mission avec autant de sérieux que d'enthousiasme.

— Tu es en pause ? demanda-t-il.

Elle sourit. Brune aux yeux noisette, grande et élancée, elle respirait la joie de vivre. Elle n'avait que dix-sept ans mais paraissait plus âgée. Sans doute parce qu'elle était attentive, et mûre pour son âge.

— Le Dr Layton m'a conseillé de faire un break maintenant, parce qu'il y a moins de monde aux urgences.

— Exact. Mais ça ne durera pas. Je t'offre un café ?

— Je déteste le café !

— Ah oui, c'est vrai. Un chocolat chaud, alors ? Un soda ?

— Une eau pétillante vitaminée ?

— C'est bon, ça ?

— Délicieux !

Quelques instants plus tard, ils s'installèrent à une table près de la baie vitrée de la cafétéria.

— Ça s'est bien passé, ce matin ? demanda Brittney en versant sa boisson dans son verre.

— Oui, mais ça a été chargé. D'abord une opération de la hanche, puis un garçon de dix-onze ans qui s'est tordu le genou en jouant au foot. Il a un bel épanchement de synovie… Ensuite, j'ai enchaîné les consultations. Et toi ? Ta matinée ?

— J'ai eu un examen en génétique moléculaire.

— Et… ?

Elle haussa les épaules.

— Je pense que je ne m'en suis pas trop mal tirée.

— Brayden sera fier de toi !

— Brayden et moi avons rompu.

— Ah bon ? Désolé.

— Il ne faut pas. C'est d'un commun accord. De toute façon, je dois me concentrer sur mes études.

Brittney observa Matt d'un air perplexe.

— Et toi ? Côté cœur, qu'est-ce que ça donne ?

— J'ignorais que tu t'intéressais à la cardiologie ! répondit-il d'un ton amusé.

Brittney ébaucha un sourire mais son regard resta sérieux.

— Ma mère m'a dit que tante Lindsay attendait un autre bébé.

— C'est vrai.

Il s'efforça de rester impassible. Il ne voulait pas montrer ce qu'il éprouvait chaque fois qu'il pensait à la famille que son ex-femme était en train de fonder. Non qu'il lui en veuille de réussir à se construire une nouvelle vie, riche, remplie, heureuse… Mais le contraste avec le vide qu'il ressentait, lui, au quotidien, n'en était que plus violent.

— Tu devrais refaire ta vie, toi aussi, dit Brittney.

— Ne t'inquiète pas pour moi, je vais bien, dit-il.

C'était vrai — du moins en partie. En fait, depuis qu'il connaissait Georgia et ses enfants, il ne se sentait plus aussi seul qu'avant.

— Oui, mais le temps passe ! dit la jeune fille. J'aimerais vraiment que tu…

— Brittney, je t'en prie, l'interrompit-il gentiment. Tu n'as que seize ans et…

— Dix-sept ! Tu es venu à mon anniversaire le mois dernier, tu te souviens ?

— Evidemment.

Depuis trois ans, il n'avait jamais raté un seul anniversaire de Brittney. Bien qu'il ait divorcé de sa sœur, Kelsey

— la mère de Brittney — continuait à l'inviter aux fêtes de famille. Il l'avait souvent remerciée à ce sujet. Ce à quoi elle répondait qu'ils étaient amis avant qu'il n'épouse Lindsay, alors pourquoi ne se seraient-ils plus vus ? D'ailleurs, ces derniers temps, leur amitié s'était même renforcée.

— Ne t'inquiète pas trop pour moi, dit-il de nouveau en se levant et en jetant un coup d'œil à sa montre. Je vais bien.

— Mais tu as souvent l'air triste, oncle Matt.

Que Brittney l'appelle ainsi le touchait.

— La roue tourne toujours, dit-il avec conviction. Il faut juste être patient.

Elle le regarda et sourit.

— Tu as sûrement raison. Je suis trop impatiente... Allez, moi aussi, je dois y aller, dit-elle en se levant à son tour. La pause est finie !

Il l'enlaça affectueusement.

— Travaille bien.

— Toi aussi...

Pensant à tout ce qui l'attendait, il se dirigea vers le service de chirurgie orthopédique. Au moins, quand il consultait, il ne réfléchissait pas à sa vie personnelle... Et c'était bien. Très bien, même.

Georgia savait qu'aux urgences il fallait souvent attendre longtemps qu'un médecin soit disponible. Néanmoins, en arrivant avec ses trois enfants, peut-être aurait-elle droit à une prise en charge plus rapide... Elle l'espérait, en tout cas.

Elle se dirigea vers le guichet. Pippa pleurnichait dans sa poussette, Shane pleurait en maintenant un sachet de petits pois surgelés, enveloppé d'un torchon, sur son poignet enflé — le froid anesthésiait partiellement la douleur —, et Quinn criait : « Je ne veux pas qu'il meure ! » Stoïque, Georgia n'essaya même pas de les calmer. Compte tenu des circonstances, elle n'y parviendrait pas.

A l'accueil, elle expliqua rapidement ce qui s'était passé,

remit les documents d'assurance et alla s'installer dans la salle d'attente. Par chance, il n'y avait pas grand monde. Et à peine dix minutes après leur arrivée, une jeune fille brune, en blouse blanche, apparut, poussant un fauteuil roulant manifestement destiné à Shane. D'après l'étiquette sur sa poche de poitrine, elle s'appelait « Brittney ». On aurait dit une lycéenne.

— Bonjour… Je viens te chercher, dit-elle à Shane. Il faut te faire une radio du bras.

Shane jeta un coup d'œil paniqué à Georgia qui, aussitôt, lui sourit d'un air rassurant. Elle ne devait surtout pas montrer sa propre inquiétude.

— Si tu veux, ta maman et tes frère et sœur peuvent venir avec nous, dit Brittney. Tu as envie ?

Shane acquiesça ; Quinn, lui, secoua vigoureusement la tête.

— Je ne veux pas qu'on fasse passer une radio du bras à Shane ! Je veux rentrer à la maison.

— Mon chéri, c'est impossible ! Il faut soigner ton frère, dit Georgia aussi patiemment que possible, d'autant que Pippa continuait à pleurnicher.

— Toi, maman, tu peux le guérir ! dit Quinn. Tu lui fais un bisou sur le bras, et voilà !

Elle sentit sa gorge se nouer. Il avait une telle confiance en elle et en son pouvoir… Elle répétait si souvent, parfois machinalement : « Je vais y arriver, chaque problème a une solution… » Sauf que là, c'était différent. Elle était réellement impuissante. Et, de manière fulgurante, cela la renvoya à ce qu'ils enduraient depuis le décès de Phillip. Elle n'avait rien pu faire pour combler le vide que le père de ses enfants avait laissé.

— Ecoute, mon chéri, je ne suis pas magicienne, dit-elle doucement à Quinn. Shane doit voir un médecin.

— Ça fait mal, une radio ? demanda Shane d'une voix plaintive.

Brittney s'agenouilla devant lui et le regarda en souriant.

— Peut-être un tout petit peu quand on va positionner

ton bras pour prendre la photo de… de l'intérieur de ton bras. Il faut qu'on sache où tu t'es fait mal pour te guérir ensuite.

— De l'intérieur ? répéta Shane, alarmé.

— Oui, mais en restant à l'extérieur ! On ne va rien te rentrer dans le bras, rassure-toi !

Sourcils froncés, Shane réfléchit quelques secondes puis hocha la tête.

— D'accord.

La jeune fille lui sourit de nouveau et se tourna ensuite vers Quinn.

— Tu as quel âge ?

— Quatre ans ! Comme Shane.

Et joignant la parole au geste, il tendit fièrement quatre doigts.

— Hmmm…

Brittney réfléchit en fronçant les sourcils, comme si elle s'apprêtait à prendre une décision de la plus haute importance.

— Alors je crois que ce ne sera pas possible.

— Qu'est-ce qui ne sera pas possible ? demanda Quinn.

— Eh bien, d'après le règlement de l'hôpital, si on n'a pas au moins cinq ans, on n'a pas le droit de pousser un fauteuil roulant… Sauf si on a une autorisation spéciale, dit-elle sur le ton de la confidence. Tu as une autorisation ?

Quinn secoua la tête.

Brittney fouilla dans ses poches et en sortit une feuille de papier bleu ainsi qu'un stylo.

— J'en ai une… Mais elle est temporaire, précisa-t-elle.

« AUTORISATION TEMPORAIRE DE CONDUITE DE FAUTEUILS ROULANTS » s'étalait en lettres capitales sur le papier.

Elle avait déjà visiblement préparé son stratagème !

— Je peux te la prêter à condition que tu pousses la chaise très lentement jusqu'à la salle de radiographies.

— Je ferai attention, dit Quinn d'un air solennel.

Brittney jeta un coup d'œil à Georgia qui, d'un signe de la tête, donna son accord.

— Parfait. Mais d'abord, il faut que je mette ton nom. Comment tu t'appelles ?

— Quinn Reed.

Brittney l'écrivit soigneusement et donna le document à Quinn, qui le glissa dans la poche de son jean. Puis il saisit les poignées du fauteuil.

— Une dernière chose, dit Brittney. Ne heurte rien ni personne, sinon, je reprends aussitôt l'autorisation. C'est compris ?

Quinn fit signe que oui, puis ils quittèrent la salle d'attente…

Vingt minutes plus tard, la radio faite, Brittney les conduisit jusqu'à une salle de consultation en promettant qu'un certain Dr Layton viendrait rapidement.

Mais cinq minutes s'écoulèrent, puis dix, puis quinze… Et Pippa, qui avait déjà largement dépassé son heure de tétée, se mit à pousser des cris perçants.

Heureusement, Quinn semblait enfin avoir compris que son frère n'était pas en danger de mort, et il s'allongea sur le petit lit d'hôpital, les yeux fermés. Shane pleurnichait encore un peu… Mais seulement un peu. Georgia sortit Pippa de sa poussette et s'installa sur une chaise afin de lui donner le sein.

Après avoir déboutonné son chemisier, elle essaya de couvrir sa poitrine d'une serviette que lui donna gentiment Brittney, mais Pippa refusait le contact du tissu. Chaque fois que Georgia le remettait en place, sa fille s'y agrippait et l'écartait. Georgia finit par capituler. De toute façon, qu'y avait-il d'indécent à allaiter son bébé dans un hôpital ?

Mais Matt Garrett fit soudain irruption dans la pièce…

4.

Lorsque Matt avait examiné les clichés, il s'était vaguement fait la réflexion que le nom de « Shane Reed » lui semblait familier. En pénétrant dans la salle de consultation, les radios à la main, il comprit pourquoi…

Shane Reed était l'un des jumeaux de Georgia qui, à cet instant, donnait le sein à sa fille. La petite main du bébé pressait avidement la chair laiteuse de la poitrine de sa mère, ses grands yeux bleus écarquillés pendant qu'elle tétait goulûment.

Une vision de choc. Sur le coup, étrangement ému, il s'immobilisa une fraction de seconde.

— Maman…

Ce fut Shane qui l'aperçut en premier. Il tapota l'épaule de sa mère de sa main valide.

— Il y a M. Matt !

Georgia tourna la tête, croisa le regard de Matt et s'empourpra légèrement.

— Vous n'êtes pas le Dr Layton…

— Ça se bouscule, ici, depuis une demi-heure, et le Dr Layton m'a demandé de jeter un coup d'œil aux radios de Shane, répondit-il.

Quinn se redressa aussitôt.

— Ah, oui, parce que toi, tu es docteur !

Matt fit signe que oui.

— Pourquoi tu ne ressembles pas à un docteur ? demanda Quinn d'un ton accusateur.

— Quinn ! protesta sa mère.

Mais Matt était intrigué.

— A quoi ressemble un docteur ?

Le petit garçon l'étudia pendant quelques instants.

— Il doit être plus vieux, avec des cheveux gris et des lunettes.

— Je suis plus âgé que tu ne l'imagines, répondit Matt en souriant.

— Mais tu ne ressembles quand même pas à un docteur.

— En fait, je suis chirurgien orthopédique.

— Ah, tu vois ? dit Quinn d'un ton triomphant en regardant sa mère.

— Un chirurgien orthopédique *est* un médecin, dit-elle, amusée malgré elle par la réaction de son fils.

Le petit garçon reporta son attention sur Matt, comme s'il quêtait sa confirmation.

— Ta maman a raison. Je répare les os cassés, dit Matt.

— Est-ce que Shane…

Quinn déglutit.

— … est cassé ?

Matt réprima un sourire.

— Non, ton frère n'est pas cassé, mais un os de son bras l'est.

— Je suis tombé de ta cabane dans l'arbre, dit Shane d'un ton calme.

Cette fois, Matt eu du mal à garder un visage impassible.

— De tout en haut ?

Shane secoua la tête.

— J'ai raté une marche de l'échelle.

— Et il a essayé de se protéger en mettant les bras en avant, dit Georgia.

Elle donnait l'autre sein à Pippa. Matt ne put s'empêcher d'admirer cette vision, la douce courbe de la poitrine laiteuse, la peau frémissante… Rapidement, il se concentra sur son petit patient.

— Je comprends comment tu t'es cassé le bras ! Tu veux voir la fracture ?

Shane acquiesça en reniflant.

Matt posa les clichés sur un panneau lumineux.

— Ça, c'est ce qu'on appelle le radius, expliqua-t-il en désignant l'os. Et là, c'est ton cubitus, le deuxième os de l'avant-bras.

Essuyant ses larmes, Shane examina la radio avec un mélange d'effroi et d'attention.

— Tu remarques la différence entre les deux ?

— Moi, oui, dit aussitôt Quinn.

Shane, pour sa part, acquiesça en silence.

— Puisqu'il s'agit du bras de Shane, je pense qu'il vaudrait mieux le laisser nous dire ce qu'il constate, dit Matt.

Quinn esquissa une moue boudeuse et resta muet.

— Alors, Shane, que vois-tu ?

— Le rad…, balbutia-t-il.

— Radius, dit Matt. Oui, c'est ça. Et quoi d'autre ?

— Il a une ligne dedans.

— Oui, c'est une fêlure. L'endroit fracturé.

— Ça fait mal, dit Shane d'un ton trahissant à la fois la douleur qu'il éprouvait et son désir de se montrer courageux.

— C'est sûr.

— Tu peux le réparer ? demanda Quinn. Puisque tu répares les os cassés ?

Matt sourit.

— Oui, je peux… Et je vais le faire.

Georgia avait du mal à rester concentrée sur ce que disait Matt. Qu'il soit médecin, déjà, était troublant. Elle admirait profondément ce métier, et comme l'avait lancé son fils avec le naturel caractéristique des enfants, Matt ne ressemblait pas à un docteur ! Mais elle avait surpris un bref regard de Matt sur sa poitrine, ce qui avait accentué son trouble. Heureusement, Pippa n'avait plus faim…

D'un geste rapide, Georgia réajusta son soutien-gorge et boutonna son chemisier. Puis, gardant Pippa bien droite contre elle, elle observa Matt qui, à présent, s'occupait de Shane.

D'un coup d'œil, elle remarqua qu'il était bien rasé,

coiffé, et qu'il portait d'élégants mocassins. Son voisin, lui ? Il ne ressemblait plus vraiment à l'homme aux cheveux en bataille qu'elle avait rencontré. Le Dr Garrett s'avérait presque intimidant.

Il expliquait en termes simples à Shane comment on allait lui plâtrer le bras. Mais une légère méfiance se reflétait dans les yeux de Shane, et de Quinn, qui demanda brutalement :

— Est-ce que Shane va mourir ?

Elle ne put réprimer un frisson. Matt, lui, resta impassible. Il devait avoir l'habitude de ce genre de question.

— Personne ne meurt d'un bras cassé, dit-il calmement.

Quinn le dévisagea d'un air sombre, comme s'il le défiait.

— Tu me le jures ?

Georgia eut du mal à refouler les larmes qui, soudain, lui piquaient les paupières. L'interrogation trahissait une angoisse si profonde… Si compréhensible !

— Je le jure, répondit Matt.

Après une brève hésitation, Quinn hocha la tête. Il le croyait.

— Alors, toi…, reprit Matt en s'adressant à Shane. Quelle est ta couleur préférée ?

— Le bleu.

— Alors je vais te mettre un plâtre bleu !

Matt quitta la pièce quelques minutes, et revint accompagné de Brittney et d'une infirmière. Celle-ci aida à poser le plâtre sous l'œil attentif de Brittney qui commenta les différentes étapes afin d'essayer de distraire les jumeaux. L'intervention terminée, Matt noua une écharpe autour de l'épaule de Shane afin de lui maintenir le bras, et lui expliqua que ça lui éviterait d'avoir mal.

— Tu utilises ta main droite ou ta main gauche quand tu manges ? demanda Brittney à Shane.

— Celle-ci, répondit-il en levant sa main valide.

— Tu crois que tu pourras tenir une glace ?

Shane acquiesça lentement puis, les yeux brillants, jeta un coup d'œil à sa mère, quêtant son accord.

— A mon avis, vous venez de prononcer le mot

magique ! dit Georgia en prenant son sac pour sortir son porte-monnaie.

Mais la jeune fille secoua la tête.

— C'est le Dr Garrett qui offre. C'est en quelque sorte compris dans le service ! dit-elle avec un grand sourire.

Matt lui donna un billet de vingt dollars.

— Est-ce que mon conducteur de fauteuil roulant a toujours son permis ? demanda Brittney.

Quinn prit le papier dans sa poche et le lui tendit.

— Garde-le. On va chercher des glaces, tous les trois.

— Merci, Britt, dit Matt en souriant.

Georgia éprouva des sentiments mitigés en voyant ses fils partir avec Brittney. Ils grandissaient si vite… Mais toute leur vie, ils resteraient ses « bébés », comme la petite Pippa nichée contre elle à cet instant.

— Brittney a été adorable et très efficace, dit-elle à Matt. Je ne sais pas comment je m'en serais sortie sans elle. En plus, Pippa mourait de faim !

— Les urgences, avec trois enfants en bas âge dont un nourrisson, c'est un défi. Même si je suppose que, même pendant un jour normal, ça ne doit pas être simple.

— Qu'est-ce qu'un « jour normal » ?

Il sourit.

— Je ne sais pas vraiment… En tout cas, c'est quand on n'a *pas* à aller à l'hôpital !

Elle s'appuya contre le dossier de sa chaise et poussa un léger soupir. Pippa commençait à s'assoupir dans ses bras, et elle-même se détendait enfin.

— Il est certain que ce n'est pas une situation facile, dit-elle.

Matt l'observa avec une attention teintée de gravité.

— Quinn a peur de l'hôpital, n'est-ce pas ?

— Quinn et Shane en ont peur.

— Vous savez pourquoi ?

Elle baissa les yeux quelques instants. Autant le dire, à présent…

— Parce que leur père — mon mari — est mort à l'hôpital.

Matt resta silencieux un long moment, visiblement sous le choc.

— De quoi est-il mort ?

— D'une crise cardiaque. Il a reconnu les symptômes et a appelé les secours, mais, quand ils sont arrivés, son état était déjà trop grave. Mes enfants se souviennent que l'ambulance a emmené leur père vivant, et qu'il est décédé à l'hôpital.

— Maintenant, ils pensent donc que si on va à l'hôpital, on y meurt.

— Exactement.

Après une courte pause, elle ajouta :

— Je leur ai expliqué que ce n'était pas la faute des médecins. D'ailleurs, ce n'était la faute de personne. Mais j'ai l'impression qu'ils ne me croient pas. Ils ont associé les deux événements, et ont fait l'amalgame.

— Je les comprends.

— Moi aussi… Pour en revenir à Brittney, elle est vraiment adorable, dit Georgia, souhaitant changer de sujet. J'ai été surprise par son efficacité et son attention. Pourtant, qu'elle est jeune ! Comment peut-elle déjà travailler ?

— Brittney aura bientôt dix-sept ans, et elle sait ce qu'elle veut, répondit-il. C'est elle qui a décidé d'être stagiaire dans cet hôpital. Quand elle veut quelque chose, elle l'obtient !

— On dirait que vous la connaissez bien.

— Plutôt, oui. C'est la fille de mon ex-belle-sœur, qui est une amie de longue date.

Ex-belle-sœur.

— Qu'est-ce qu'elle veut faire, plus tard ? demanda-t-elle en s'efforçant de ne pas penser immédiatement qu'il était donc divorcé.

— Elle aimerait être pédiatre. Là, elle effectue un stage pour toucher un peu à tout avant d'intégrer la fac de médecine à la rentrée. Elle a déjà suivi une année préparatoire. Brittney est surdouée, dit-il avec fierté. Et très sérieuse.

C’est aussi sûrement pour ça que c’est une baby-sitter de confiance ! Au cas où, un jour, vous en rechercheriez une.

Il sourit gentiment.

— C’est bon à savoir. Merci. Je penserai à elle si jamais ça s’avérait nécessaire.

Il garda le silence quelques instants.

— Si jamais…, dit-il de nouveau, pensif. Et si c’était vendredi soir ?

— Pardon ?

— Eh bien…

Il se racla la gorge, l’air un peu gêné.

— Ecoutez, on ne se connaît pas, mais franchement, ça me ferait très plaisir de vous inviter à dîner vendredi…

5.

Matt avait prononcé ces mots sans réfléchir. Il éprouvait juste une irrésistible envie de revoir Georgia dans un autre contexte… Et de la voir sourire, tout simplement.

Maintenant, tout s'expliquait : les cernes sombres sous ses yeux, les nerfs qu'il sentait, chez elle, à fleur de peau… Et l'absence d'homme auprès d'elle.

Non seulement Georgia élevait seule ses trois enfants, mais, en plus, elle était veuve.

Elle le dévisagea un long moment en silence, si stupéfaite qu'il faillit annuler son invitation très — trop ! — impulsive.

Cela ne lui ressemblait pas. Avant toute action ou décision, il aimait prendre son temps, peser le pour et le contre. Un exemple ? Trois ans après son divorce, il habitait encore l'appartement où il avait vécu durant son mariage. Il n'avait pas eu envie de bouger, d'avancer…

Maintenant, oui.

Inviter Georgia à dîner lui prouvait qu'il voulait enfin tourner la page.

Elle fronça légèrement les sourcils :

— Pourquoi ?

— Pourquoi pas ? Nous sommes voisins, après tout.

— Et alors ?

Elle soutint son regard, une lueur indéchiffrable au fond de ses yeux bleus.

— Alors… Je me disais que nous pourrions juste partager un repas, c'est tout.

Elle ébaucha un sourire.

— Oui, bien sûr. C'est gentil de votre part. Sauf que je ne peux pas. J'ai mes enfants, et les confier à une parfaite inconnue, même s'il s'agit d'une baby-sitter de rêve… Non, désolée.

— Shane et Quinn semblent apprécier Brittney, dit-il en s'efforçant d'ignorer la déception qui l'envahissait.

— C'est normal, elle a été adorable avec eux ! Mais avec Pippa, ce serait une autre histoire. Il y a certaines choses que seule une maman sait et peut faire.

Il hocha la tête.

— Evidemment. C'est pourquoi je vous propose de dîner à la maison, comme ça, vous ne serez pas loin, au cas où Brittney aurait besoin de vous.

Il improvisait…

Il avait vraiment envie de cette soirée avec elle.

Elle parut surprise et un peu gênée.

— C'est vraiment gentil, merci. Mais je ne veux pas que vous vous sentiez obligé de… Enfin, sous prétexte que je suis seule avec mes trois enfants…

— Obligé ?

Déconcerté, il secoua la tête.

— C'est ce que vous imaginez ? Vous croyez que je vous invite par obligation ?

— Je n'imagine rien, répondit-elle, sur la défensive. C'est la seule explication valable qui me vienne à l'esprit.

— Pourtant, il y en a une autre. Vous détendre, ça vous ferait du bien.

— C'est sûr…

— Donc je ne me sens pas obligé, dit-il avec franchise. Même si vous élevez vos enfants seule, vous avez le droit de penser un peu à vous !

— Je sais, dit-elle dans un murmure en serrant Pippa contre elle.

Elle lui jeta un bref coup d'œil, hésita encore, puis poussa un soupir.

— Vous avez raison. Mais je n'accepte qu'à condition que Brittney soit disponible.

— Elle le sera. 19 heures ?

— Vous ne voulez pas d'abord vérifier si elle est disponible ?

— Brittney se libérera.

— Dans ce cas, 19 heures, oui.

— Vous avez des préférences culinaires ? Des allergies ou aliments que vous ne mangez pas ?

Elle secoua la tête, et soudain, une lueur joyeuse brilla dans son regard.

— Du moment que je n'ai pas à cuisiner, ce sera parfait.

Ce fut une longue nuit, pour Georgia.

Elle administra un antalgique pédiatrique à Shane, mais le médicament ne suffit pas à l'apaiser. Lui qui avait l'habitude de dormir sur le ventre, il eut beaucoup de mal à rester allongé sur le dos, son bras plâtré surélevé sur un oreiller, même si le « Dr Matt » le lui avait conseillé.

Et elle n'eut pas plus de chance avec Quinn. A l'hôpital, il s'était déridé en poussant le fauteuil roulant de son frère, puis en dévorant un sorbet… Mais, une fois à la maison, il avait recommencé à s'inquiéter pour Shane.

Toutefois, ce ne fut pas le fait de consoler Shane, de rassurer Quinn ou de bercer Pippa qui garda Georgia éveillée. Il y avait une autre explication, à la fois concrète et tellement irrationnelle : ce dîner qu'elle avait accepté en compagnie de Matt…

Il était trop gentil, trop prévenant, trop séduisant. Il suscitait en elle des émotions qu'elle n'avait pas ressenties depuis très longtemps. Les avait-elle même déjà éprouvées… Et c'était ce qui la troublait tant.

Sa mère lui avait toujours affirmé que tomber amoureuse, c'était un peu comme plonger sans avoir vérifié la température de l'eau. Nul doute que Charlotte ait souvent vécu ce genre de vertige sans se poser de questions : elle adorait l'inconnu.

Pas Georgia. D'où, probablement, son mariage avec Phillip. Elle avait aimé son mari, mais leurs sentiments avaient toujours été en quelque sorte… raisonnés. Au début, ils étaient bons amis : ils partageaient les mêmes valeurs, les mêmes intérêts dans la vie, et tous deux se méfiaient des grands sentiments romantiques. Auparavant, Phillip avait déjà été fiancé, mais la relation avait été brutalement rompue quand il avait découvert que sa fiancée le trompait avec son cousin. Quant à Georgia, marquée par les nombreuses histoires d'amour de sa mère, elle avait systématiquement fui la passion.

Phillip avait fait preuve avec elle de persévérance, tout en restant charmant et élégant ; rassurant. Il lui avait proposé un rendez-vous, puis un second, puis d'autres… Et avant qu'elle comprenne vraiment ce qui lui arrivait, elle avait accepté de l'épouser. Non qu'elle l'ait jamais regretté ! Leur mariage avait été heureux et solide. Ils s'entendaient bien. Sensuellement parlant, c'était simple, ordinaire sans doute, et ni l'un ni l'autre ne s'en plaignait. Phillip représentait tout ce dont elle avait besoin : un homme stable, pas compliqué, avec qui elle se sentait à l'aise.

Elle ne se sentait pas du tout à l'aise en compagnie de Matt Garrett.

Le comble ? A bientôt trente-deux ans, et bien qu'elle soit mère de trois enfants, elle ne savait pas comment interpréter les émotions que cet homme lui inspirait.

Cette nuit-là, épuisée mais incapable de fermer l'œil, elle envisagea même de demander conseil à sa mère… Après quatre mariages et quatre divorces, Charlotte était une experte ! Sauf qu'elle lui répondrait sûrement, comme toujours : « Allez, amuse-toi ! La vie est trop courte pour ne pas en profiter ! Et surtout, amuse-toi, ma chérie, amuse-toi ! »

Georgia sourit, entendant presque la voix de Charlotte. Sa mère avait raison. Après tout, ce n'était pas parce que

Matt l'avait invitée à dîner que cela signifiait autre chose. Ce n'était *qu'un* dîner.

Et ce n'était pas parce que son cœur battait la chamade dès qu'elle pensait à lui qu'il éprouvait, de son côté, la même chose.

— Je suis contente que mamie vienne demain, dit-elle tout bas à Pippa, qu'elle continuait à bercer. Elle m'aidera à y voir plus clair…

Et à ce qu'elle se repose.

En effet, Charlotte avait proposé de passer quelques jours chez elle, et tant mieux. Georgia sentait à quel point elle manquait de sommeil. Elle avait les nerfs à vif. Sans doute réagirait-elle différemment face à Matt si elle était plus détendue. Mais elle ne récupérait pas, ou si peu, puisque régulièrement Pippa l'empêchait de dormir.

Après sa naissance, les premières semaines avaient été merveilleuses, Pippa tétait bien, ses nuits étaient paisibles. Georgia avait chéri ces moments-là. Puis, à environ quatre semaines, Pippa était devenue plus agitée. Elle avait continué à bien prendre le sein, mais son sommeil avait été entrecoupé de réveils et de pleurs… Des pleurs qui s'étaient intensifiés de manière alarmante ces derniers temps. Georgia avait eu beau en parler au Dr Turcotte, son pédiatre, rien n'avait changé. Mais elle suivrait le conseil de Matt. Peut-être qu'en supprimant les laitages, son propre lait serait plus digeste et Pippa irait mieux. Il faudrait aussi qu'elle lui donne le biberon plus souvent…

Le téléphone sonna, la tirant soudain de ses réflexions. A sa grande surprise, c'était sa mère.

— Je pensais à toi il y a deux minutes ! dit-elle doucement, espérant ne pas déranger Pippa qui s'assoupissait peu à peu.

— Excuse-moi de te déranger si tard, ma chérie…

A l'autre bout du fil, Charlotte était surexcitée. Et Georgia ne tarda pas à comprendre pourquoi.

Silencieuse, elle écouta Charlotte lui décrire le merveilleux bonheur dans lequel elle nageait depuis sa rencontre avec

Henry Branston… Qu'elle avait décidé d'épouser le plus vite possible, à Las Vegas. Par conséquent, elle annulait purement et simplement sa visite chez Georgia : elle partait s'installer dans le Montana avec son nouvel époux, qui y possédait un ranch.

— Je comprends, maman, murmura Georgia, la gorge nouée, en s'asseyant sur son canapé.

Charlotte Warring-Ecklang-Tuff-Masterton-Kendrick-Branston était amoureuse et heureuse.

Elle-même était seule, toujours seule et encore seule.

Georgia abrégea la conversation. L'évidente extase de sa mère l'énervait…

Mais en raccrochant, elle songea qu'elle filait décidément un mauvais coton. Même sa mère la laissait tomber. Involontairement, certes… Mais elle ne viendrait pas, alors que Georgia comptait sur elle.

Surmontant sa déception, elle serra tendrement Pippa contre elle, et ferma les yeux. Peut-être ne s'intéressait-elle pas à son beau voisin parce qu'elle était épuisée, et qu'elle n'avait qu'une envie : dormir profondément, d'un sommeil de préférence sans rêve. Parce que dès qu'elle fermait les yeux, elle tombait dans une douce rêverie à propos du Dr Matt Garrett.

Vendredi soir arriva trop vite. Georgia n'eut pas le temps de se préparer mentalement… Encore moins physiquement. Elle se maquilla légèrement, choisit une tenue à la fois décontractée et différente de ce qu'elle portait au quotidien — une jupe longue, fluide, cintrée à la taille, un chemisier en coton fleuri. Mais elle avait l'impression d'être soit trop apprêtée, soit pas assez… Et sa nervosité ne cessait de croître.

Puis, alors qu'elle se sentait enfin plus ou moins prête à laisser ses enfants à Brittney pour trois heures grand maximum, Matt lui téléphona. A sa voix tendue, elle sut tout de suite qu'il y avait un problème. Il fut bref : une urgence le retenait à l'hôpital et, hélas, il devait annuler leur dîner. Il était si désolé… Mais c'était partie remise, n'est-ce pas ?

A la fois déçue et soulagée, elle l'assura qu'elle comprenait parfaitement : il était médecin, ce genre de choses arrivait sans crier gare, et elle lui souhaitait bon courage. Il la remercia avec une pointe de déception dans la voix, et lui promit une nouvelle invitation.

— Oui, on verra, dit-elle sans rien promettre.

Toutefois, en raccrochant, elle sentit son cœur battre précipitamment. Encore. Comme si son corps, trahissant une émotion à fleur de peau, n'était pas du tout d'accord avec ce qu'elle venait de dire…

6.

Le lendemain, Georgia refusa de s'interroger sur la signification de ce qu'elle s'apprêtait à faire. Elle ne trouverait que trop de raisons de changer d'avis…

Et elle n'avait aucune envie de manger, seule avec ses fils, deux douzaines de cookies au chocolat tout juste sortis du four !

Elle n'avait pas davantage envie de s'attarder sur l'évidence qui s'imposait à elle : Matt l'intriguait, l'attirait…

Et ce n'était pas seulement une question de physique. Il y avait l'expression chaleureuse de ses yeux, la gentillesse qu'elle percevait en lui, cette pointe d'humour un peu provocateur qu'il laissait paraître par moments… Et quand il la regardait, elle avait l'impression que toute la lassitude qu'elle avait éprouvée jusque-là s'évanouissait comme par miracle. Elle y avait pensé toute la nuit… Et après avoir dormi — enfin ! — quelques heures, elle s'était décidée à franchir un premier pas.

Après s'être assurée que ses ongles ne gardaient plus trace de la farine qu'elle avait pétrie, elle se coiffa rapidement et demanda à Shane et Quinn de l'accompagner.

— Où ? demanda Quinn.

— Chez Matt. Voilà ce qu'on va lui apporter, dit-elle en montrant le panier empli de biscuits dorés.

— Tout ? Mais on en veut, nous aussi ! dit Shane, outré.

Elle ne put s'empêcher de rire.

— Je vous en ai gardé, évidemment ! Allez, en route…

— Il n'y a pas de « route », maman, Dr Matt habite juste à côté, dit Shane.

— C'est une expression, mon chéri, répondit-elle en installant Pippa dans le porte-bébé.

Quelle expédition… Mais elle refusait de laisser ses enfants seuls, même cinq minutes.

Quelques instants plus tard, le cœur battant, elle sonnait chez Matt. Shane et Quinn se tenaient sagement près d'elle, l'un à sa droite, l'autre à sa gauche, et, blottie contre sa poitrine, Pippa regardait autour d'elle avec curiosité.

Des pas se firent bientôt entendre derrière le battant, plus légers que ceux d'un homme, et à sa grande surprise, ce fut une femme qui lui ouvrit. Une femme brune, jolie, qui ne paraissait pas tellement plus âgée qu'elle.

— Bonjour, dit Georgia, s'efforçant de dissimuler son étonnement.

Et sa déception. Elle ne s'était pas du tout attendue à ce qu'il ne soit pas seul. Quelle idiote. Un homme comme lui, évidemment…

— Vous voulez voir Matt ? demanda l'inconnue en la dévisageant attentivement.

— Oui, mais je ne voudrais pas vous déranger…

— Oh ! alors là, pas de problème !

La femme rit.

— Matt est un vieil ami, et je suis passée en coup de vent, c'est tout, dit-elle en invitant Georgia et les enfants à entrer.

Georgia hésita, gênée.

— Je suis sa voisine et… Enfin, si vous pouviez juste lui donner ceci ? dit-elle en tendant le panier de cookies. Vous lui expliquerez que c'est pour…

Au même instant, Matt les rejoignit. Il devait sortir de la douche car ses cheveux étaient humides, et un délicat parfum d'après-rasage l'enveloppait. Lorsqu'il lui sourit, Georgia sentit son pouls s'accélérer.

— Excusez-moi de vous déranger, dit-elle de nouveau.

— Mais vous ne nous dérangez pas ! protesta Matt. Au

contraire, j'en profite pour vous présenter Kelsey, la mère de Brittney. Je vous ai parlé d'elle, vous vous souvenez ?

Georgia sourit.

— Bien sûr. J'ai rencontré Brittney à l'hôpital, dit-elle en regardant Kelsey. Mais… c'est votre fille ? Vous avez l'air si jeune !

Kelsey éclata de rire.

— Oh ! merci ! Ça, c'est un compliment adorable.

Elle jeta un coup d'œil au bras plâtré de Shane.

— Tu n'as pas trop mal ?

— Non. Le Dr Matt m'a bien soigné, dit Shane.

— Ah… Le Dr Matt ?

Kelsey lança un coup d'œil à Matt.

— Tu t'es occupé de ce bout de chou ?

— Le hasard… Et la malchance : il s'est fait mal en tombant de la cabane dans l'arbre du jardin.

Matt en esquissa une grimace.

— Mais tu n'étais pas là quand je suis tombé ! dit Shane. C'est à l'hôpital qu'on t'a vu.

— Oui, à l'hôpital, dit Matt en souriant à Georgia. Ce que vous apportez sent très bon…

— C'est pour vous, dit-elle, soulagée de pouvoir justifier sa présence.

Il la regarda avec stupéfaction.

— Pour nous ? En quel honneur ?

— Pour vous remercier.

— Et de quoi ?

Elle soutint son regard et, de nouveau, son cœur battit plus vite. Contre elle, Pippa commençait à s'agiter, et elle posa une main apaisante sur son dos.

— Maman vous dit merci pour rien du tout ! dit Quinn.

Georgia hocha la tête.

— Ce n'est pas tout à fait exact, Quinn chéri, je ne dis pas merci « pour rien ». Je dis merci à Matt parce qu'il a été très gentil avec nous, qu'il vous autorise à jouer dans son jardin et dans sa cabane…

— Ce qui n'était peut-être pas une très bonne idée, dit Kelsey en désignant le plâtre de Shane.

— Si, si, c'était une très bonne idée parce que j'y retournerai quand je serai guéri, dit Shane.

— Tu n'es pas malade, dit Matt. Tu as le bras cassé, c'est différent.

Shane le contempla en fronçant les sourcils.

— Alors je grimperai de nouveau dans la cabane lorsque mon bras sera réparé.

Matt acquiesça, une étincelle amusée au fond des yeux.

— Absolument. En faisant très attention, promis ?

— Promis, docteur Matt.

— Tu peux juste m'appeler Matt, tu sais ?

Le petit garçon interrogea Georgia du regard.

— Aucun problème, mon chéri.

— Où ils sont, les chiots ? demanda Quinn.

— Quels chiots ? demanda Kelsey.

— C'est une longue histoire. Je t'expliquerai, répondit Matt. Les chiens sont toujours à la clinique vétérinaire de mon frère Luke et, aux dernières nouvelles, ils ont tous trouvé une maison.

— On ne les reverra plus ? demanda Quinn, inquiet.

— Je ne sais pas. On verra. Georgia, vous voulez un café ? demanda Matt.

— Non, merci. Je suis venue vous offrir ces cookies, voilà…

Un peu impatiente de s'en aller à présent, elle lui tendit le panier, qu'il accepta d'un air un peu gêné.

— Que c'est gentil à vous… Merci ! Allons, restez donc prendre un café ou un thé. Pour me faire pardonner de ne pas avoir pu honorer mon invitation d'hier soir.

Georgia surprit le coup d'œil étonné de Kelsey à Matt.

— Vous n'avez rien à vous faire pardonner. Les urgences, ça ne se prévoit pas.

— Et il y en a toujours trop, dit Kelsey. Quand ma fille Brittney me raconte son quotidien à l'hôpital, je suis effarée. Les médecins travaillent parfois jusqu'à soixante-dix heures par semaine… N'est-ce pas, Matt ?

— On n'a pas vraiment le choix, fit-il, clairement peu désireux de poursuivre la conversation sur ce terrain.

— Maman, j'ai faim ! dit alors Quinn. Je peux avoir un cookie ?

— A la maison, mon petit cœur. Non, non, on y va, dit Georgia alors que Matt s'apprêtait à donner un biscuit à son fils.

Au même moment, Pippa commença à chouiner.

— C'est son heure ! dit Georgia. Désolée, on file… A bientôt !

Et sans attendre de réponse, elle tourna les talons, suivie par ses deux petits garçons qui, heureusement, se montrèrent obéissants.

Une fois chez elle, elle se rendit compte que son cœur battait la chamade. Elle venait sans doute de passer pour une drôle d'originale ! Mais tant pis.

Elle distribua quelques gâteaux à ses fils et s'assit pour donner le sein à Pippa. Pendant que celle-ci tétait goulûment, elle ferma les yeux et s'efforça de chasser le trouble qui l'avait envahie. Un mélange de surexcitation, de gêne, de joie, d'impatience… Et d'autre chose encore, qu'elle n'aurait pas pu qualifier. Peut-être de la méfiance ?

Oui, sûrement. Faire confiance à un homme lui avait toujours été difficile, et ce n'était que très récemment qu'elle avait compris pourquoi.

Son père avait quitté sa mère quand elle avait trois ans et, par la suite, aucun des trois compagnons successifs de Charlotte — de fait, les beaux-pères de Georgia — ne s'était montré à la hauteur… Aucun n'avait tenté de faire durer la relation avec sa mère qui, certes, n'était pas facile, mais eux non plus.

Quant aux quelques petits amis que Georgia avait eus durant son adolescence, ils n'avaient pas amélioré l'image qu'elle avait des hommes. Seul Phillip l'avait rassurée. Il lui avait permis de croire à un avenir différent et stable. Elle avait cru qu'entre eux, ce serait pour toujours…

Mais il était parti pour toujours.

Le vide était palpable chaque jour, chaque heure, chaque minute.

La gorge nouée, elle rouvrit les yeux et concentra son attention sur Pippa qui continuait à téter avec appétit. Quel avenir le destin réservait-il dorénavant à sa petite famille ?

Croisant le regard interrogateur de Kelsey, Matt éprouva une légère irritation. Son ex-belle-sœur le connaissait peut-être un peu trop bien.

— Ces cookies sentent délicieusement bons. Goûtes-en un ! dit-elle en posant le panier sur la table.

— Plus tard, merci. Là, j'avoue que je n'ai pas faim.

Ou alors il avait faim d'autre chose… Pas de nourriture, en tout cas. Un désir différent s'était emparé de lui, un désir sourd, presque douloureux, qu'il ne parvenait pas à maîtriser.

— Elle est jolie.

— Je sais.

— Très jolie.

— Je sais, répéta-t-il en jetant un coup d'œil à sa montre.

Il devrait filer à l'hôpital d'ici peu. Tant mieux. Cela lui éviterait de répondre à des questions indiscrètes. D'autant qu'il n'avait pas vraiment de réponse.

Une appétissante odeur de sucre et de chocolat cuits imprégnait à présent le salon, et il regarda les biscuits que Georgia lui avait apportés. C'était si gentil… Si inattendu. Son premier geste amical. Elle lui avait pourtant paru terriblement mal à l'aise sur le seuil de la maison, encadrée par ses deux fils qui le dévisageaient avec curiosité…

Quelle femme étrange ; insaisissable. Mais il pouvait comprendre qu'elle soit sur ses gardes : être veuve à son âge, avec trois enfants à charge, c'était une épreuve considérable.

Il ne l'en admirait que davantage.

— Tu vas les manger ? demanda Kelsey.

Il sursauta presque.

— Quoi donc ?

— A ton avis ?

Arquant un sourcil moqueur, elle lui désigna les cookies.

— Oh… Oui, bien sûr. Plus tard. Mais si tu en veux, n'hésite pas. Il y en a beaucoup pour moi tout seul !

Elle hocha la tête.

— Tu devrais peut-être insister pour inviter ta charmante voisine à boire un café ? Vous auriez l'occasion de déguster ces savoureux gâteaux ensemble. Parce qu'ils sont savoureux ! dit-elle en en prenant un deuxième. Je t'assure, délicieux… D'ailleurs, j'aimerais lui demander sa recette parce que moi, je ne…

Il ne l'écoutait plus. Il adorait Kelsey, mais elle se montrait souvent volubile. Peut-être pour compenser son propre silence ? Il était certain qu'il n'était pas bavard.

Il attrapa sa mallette, son veston, et arrêta ainsi le flot de paroles de Kelsey.

— Tu pars à l'hôpital ?

— Je suis de garde.

— Pendant tout le week-end ?

— Non, juste aujourd'hui. Dimanche, repos !

Il sourit à Kelsey et ajouta :

— Tu claqueras la porte derrière toi ?

Puis il sortit de la maison sans se retourner. Heureux de la longue journée de travail qui l'attendait, et qui lui éviterait de se poser trop de questions sur Georgia.

7.

Une semaine s'écoula.

Et plus les jours passaient, plus Georgia avait la désagréable impression que Matt l'évitait.

Ils ne s'étaient plus revus depuis sa visite éclair chez lui. Peut-être avait-il trouvé son geste ridicule ? Peut-être n'avait-il pas aimé ses cookies ? Mais ça, ce n'était pas bien grave. Ce qui l'attristait, c'est qu'elle avait montré qu'elle appréciait sa gentillesse, qu'elle l'appréciait, lui… Et maintenant, il ne voulait peut-être plus la voir.

Il l'oubliait. Il ne faisait plus attention à elle. Typique des hommes, non ?

En même temps, une telle pensée était absurde : pourquoi son voisin agirait-il ainsi alors qu'ils étaient à peine amis ? Non, il devait y avoir une autre explication !

Ce samedi soir-là, toutefois, elle céda à l'impatience et la curiosité. Ses trois enfants dormaient déjà depuis presque une heure — un miracle ! —, quand elle se mit à la fenêtre pour regarder dehors. La maison de Matt était plongée dans l'obscurité. Il n'était donc pas là. Perplexe et vaguement déçue, elle resta un long moment à contempler la bâtisse sombre. Puis, se munissant de l'écoute-bébé qu'elle accrocha à la ceinture de son jean, elle sortit faire quelques pas dans le jardin. L'air était doux, parfumé — des lauriers roses et des chèvrefeuilles fleurissaient non loin. La nuit n'était pas complètement tombée, la lumière était douce et apaisante.

Georgia se tenait immobile, rêveuse, devant chez elle depuis quelques minutes lorsqu'une voiture s'engagea dans la petite rue. Son cœur se mit à battre plus vite. C'était Matt. Enfin…

Elle tourna les talons mais il l'avait aperçue. Se garant rapidement, il l'appela en sortant de son véhicule. En bras de chemise, il semblait épuisé.

— Georgia… Tout va bien ?

— Oui, oui. J'admirais juste le ciel en profitant du silence.

Il leva les yeux et ébaucha un sourire.

— Ça fait du bien d'être dehors.

— Dure journée ? demanda-t-elle, frappée par la fatigue qui se lisait sur son visage.

— Très. On a géré urgence sur urgence, non-stop. Et vous ?

— Tout va plutôt bien. Mes enfants dorment… Même Pippa !

— Elle a moins mal au ventre ?

— On dirait. J'ai supprimé les laitages, et j'ai l'impression que ça a un effet bénéfique.

— Excellente nouvelle.

Puis, de nouveau, il sourit, d'un air presque timide, ce qui ne lui ressemblait pas.

— Je ne vous ai même pas remerciée pour vos délicieux cookies.

— Ils étaient bons ?

— Vous en doutiez ?

Elle sourit à son tour.

— Non… Mais on ne sait jamais !

Un silence s'établit, et elle fut la première à le rompre.

— Eh bien, je vous souhaite une bonne soirée…

— Vous partez déjà ?

— Vous avez sûrement envie de vous reposer.

— Mais j'ai tout autant envie de bavarder un peu avec vous. On ne s'est pas revus depuis plusieurs jours.

— C'est vrai.

Elle hésita, à la fois heureuse de sa proposition — elle

en rêvait, non ? —, mais craignant aussi de lui imposer un face-à-face qu'il n'aurait peut-être pas envisagé si elle ne s'était pas trouvée là, dehors, ce soir-là.

— On reste chez vous, pour que vous puissiez être près de vos enfants, dit-il.

Elle sourit de nouveau.

— Même si j'ai ce précieux petit appareil…

Elle montra l'écoute-bébé.

— … je préfère être près d'eux.

— C'est normal. J'aimerais que davantage de parents soient aussi prudents que vous, répondit-il.

Il avait l'air si pensif… Il venait de vivre quelque chose de très éprouvant à l'hôpital, elle en était quasiment certaine.

— Je vous offre un verre de vin ? proposa-t-elle alors spontanément.

— Non, pas d'alcool… Mais une boisson fraîche, ce serait avec plaisir.

Elle l'invita à le suivre sur sa terrasse, et alla préparer deux diabolos menthe bien frais.

— La vie ici est si différente de celle que je menais à Manhattan, dit-elle en s'asseyant à côté de lui. Tout est si calme… Presque trop calme. Du moins, quand Pippa ne pleure pas !

— Elle va mieux ?

— Oh ! oui. Comme je vous le disais, elle a moins de coliques. Elle dort à poings fermés, en ce moment. Ce n'était pas arrivé depuis une éternité ! Merci encore du conseil.

— Quel conseil ?

— Vous m'avez suggéré d'éviter les produits laitiers, et je l'ai fait.

Il hocha la tête.

— Ah oui. Souvent, les coliques des bébés qui sont allaités sont liées à un problème d'alimentation de la mère.

— Je ne comprends vraiment pas pourquoi mon pédiatre ne m'en a pas parlé.

Il haussa les épaules.

— Posez-lui la question la prochaine fois que vous le consulterez !

— Je n'y manquerai pas.

Elle but une gorgée de cocktail. La boisson était délicieusement pétillante et fraîche — comme ses enfants l'aimaient !

— En tout cas, j'adore la tranquillité qui règne ici, dit-elle.

Elle tendit l'oreille, percevant, dans les buissons des alentours, un concert d'insectes.

— Ce sont des crickets ou des grillons qu'on entend ? Je ne sais jamais la différence !

— Moi non plus, avoua-t-il avec un petit rire.

Il commençait à se détendre, elle le sentait.

— Pourtant, je devrais le savoir, vu que j'ai grandi par ici, dit-il.

— Vous avez toujours vécu dans cette région ?

— Sauf pendant mes études de médecine : je suis allé en Californie. Du coup, à mon retour ici, j'ai encore plus apprécié l'environnement.

— Oui… C'est beau et calme.

Elle resta songeuse quelques instants.

— Avant, je n'aurais pas pu vivre dans une petite ville comme celle-ci. New York me plaisait… Les concerts, les expositions… Mais il fallait que je change de vie. J'ai la chance d'avoir pu délocaliser mon travail, puisque mes associés sont toujours à Manhattan. Vive l'e-mail et internet ! On communique différemment, mais quasiment autant que lorsque j'étais sur place. Et je suis heureuse d'élever mes enfants ici. J'aime les voir jouer dans le jardin. Quand l'hiver viendra, ils s'amuseront avec les feuilles mortes…

— Vous en aurez beaucoup, dit-il en montrant le vieil érable qui s'élevait à côté de sa maison.

Elle sourit.

— On les ramassera à la pelle.

— Je vous aiderai si besoin. Non que je sois un adepte du jardinage… Mais le travail physique m'aide à évacuer les tensions après des journées de douze heures, parfois plus, à l'hôpital.

— J'imagine.

Un autre silence s'installa quelques instants. Puis brusquement, il dit :

— Tout à l'heure, j'ai opéré une petite fille de quatre ans d'une fracture spiroïde.

— Qu'est-ce que c'est ?

— Une fracture provoquée par une torsion de l'os. C'est courant chez les skieurs : leurs pieds sont serrés dans leurs chaussures de ski, elles-mêmes fixées aux skis. Lorsqu'un ski tourne, la jambe tourne également.

— Cette petite a fait du ski à cette époque de l'année ?

— Non. Et c'était son bras qui était fracturé.

Elle comprit aussitôt.

— Elle a été violentée…

— Sa mère le nie. Mais la radio a révélé que le bras de l'enfant a déjà été cassé auparavant. L'os est resté fragile parce qu'il a été mal soigné. J'ai donc traité une double fracture.

Elle sentit sa gorge se nouer.

— Et elle n'a que quatre ans ?

Il acquiesça.

— Je comprends que vous soyez chamboulé, murmura-t-elle.

— Maintenant, ça va déjà un peu mieux. Grâce à vous.

Alors, cédant à une impulsion, elle se pencha et l'embrassa doucement sur la joue.

Il se figea, visiblement stupéfait. Comme il l'interrogeait du regard, elle haussa les épaules.

— C'était juste pour vous remonter le moral…

Comme si elle regrettait déjà son geste si spontané, Georgia s'apprêtait à s'éloigner de Matt, mais, sans réfléchir, il l'attrapa par la taille et l'attira vers lui.

— Ne vous sauvez pas si vite… Je suis peut-être fatigué et découragé par moments à cause de mon travail, mais ça ne m'empêche pas d'éprouver…

Il s'interrompit net, incapable de formuler ce qu'il ressentait.

Elle le dévisagea, les yeux écarquillés. L'expression « biche aux abois » surgit à l'esprit de Matt. Il sentait son parfum, légèrement vanillé, et la chaleur de son corps à quelques centimètres du sien.

— Matt… On s'égare, là, non ? fit-elle tout bas.

— Au contraire. On ose enfin faire ce dont on a envie depuis qu'on s'est rencontrés.

Elle ébaucha un sourire, mais il la sentait incroyablement tendue, le souffle court. Emue ? Intimidée ? Gênée ? Sûrement tout cela à la fois.

Et pleine de désirs inavoués… Comme lui.

— Pourtant, vous m'avez évitée cette semaine, pas vrai ? demanda-t-elle.

— Je vous ai manqué ?

— Oui, avoua-t-elle après une brève hésitation.

Il l'enveloppa d'un long regard qui, il le savait, trahissait son désir de la serrer plus étroitement contre lui et de l'embrasser. Mais elle n'essayait pas de se dégager de son étreinte. Elle capitulait devant l'évidence…

Et lui aussi.

— Vous m'avez également manqué, dit-il.

— Ne me vouvoyez plus, c'est trop…

— C'est un « vous » collectif : toi et tes enfants.

— Ah… d'accord. Shane et Quinn m'ont demandé pourquoi tu avais disparu.

— Je n'ai pas disparu. J'ai juste été happé par le travail…

Et il avait essayé de ne plus penser à elle…

Il ne le lui dirait pas, mais il avait accueilli avec soulagement l'enchaînement de consultations et d'urgences à l'hôpital : ainsi, il avait oublié ce qui le taraudait au plus profond de lui-même, ce tiraillement dans le creux de l'estomac chaque fois que l'image de Georgia surgissait à son esprit. Il avait tenté d'ignorer cette envie irrépressible de mieux la connaître, de partager son quotidien, de jouer avec ses enfants… Cela ne lui avait pas semblé avouable jusqu'à ce que, quelques minutes plus tôt, et contre toute attente, elle-même n'exprime ce qu'elle ressentait également. Un simple petit baiser, et toute résistance s'évanouissait en lui !

— Mais il n'y a pas eu que cela, dit-il doucement sans cesser de la regarder. Je ne voulais pas vous déranger… Te déranger. Je sais que tu es débordée, que ta vie ne doit pas être facile et…

Il s'interrompit, le cœur battant. Elle restait immobile, si proche, ses yeux dans les siens, comme pour le scruter ; le sonder. Alors, lentement, il se pencha et l'embrassa sur la joue, juste au coin des lèvres. Elle poussa un petit soupir et inclina le visage vers lui. Leurs bouches se rencontrèrent, et un même élan les poussa l'un vers l'autre. Réprimant un gémissement, elle lui donna ses lèvres sans retenue, et ils s'embrassèrent à perdre haleine.

Il savoura ce baiser jusqu'au plus profond de son être. Il en aima la saveur sucrée, adora la douceur de la peau de Georgia sous sa paume tandis qu'il glissait les doigts sous le coton de son T-shirt pour lui caresser le dos. Bien que transporté par un désir brûlant, il s'attendait à ce qu'elle le repousse…

Mais non, elle se blottit davantage contre lui, pressant ses seins contre son torse. Leurs baisers se firent plus avides. Elle devait sentir à quel point il avait envie d'elle. Son désir était patent…

Surtout, ne pas brusquer les choses… Ce qui naissait entre eux était trop précieux.

Non sans peine, il s'écarta d'elle, mettant un terme au baiser passionné qu'ils échangeaient depuis déjà plusieurs minutes. Mais il garda le bras autour de la taille de Georgia… Pour l'empêcher de s'enfuir. Malgré la pénombre qui les entourait, il percevait une lueur de panique dans ses yeux brillants de désir.

— Ça, c'était une très mauvaise idée, murmura-t-elle.

— Je ne suis pas d'accord.

— Nous sommes voisins…

— Un peu plus, peut-être ?

Elle secoua la tête.

— Je ne suis pas sûre de pouvoir, Matt.

— Parce que tu penses à ton mari ?

— Parce que j'ai besoin de rester concentrée sur mes enfants. Ils ne me laissent pas beaucoup de temps, ni beaucoup d'énergie… Je ne vois pas comment je pourrais avoir une relation avec un homme.

— Bon…

Ravalant sa déception, il s'efforça de sourire et relâcha son étreinte.

— Mais c'est quand même toi qui m'as embrassé en premier.

— Pas comme ça !

— Exact. J'ai profité de la situation. Mais sauf erreur de ma part, ça t'a plu.

Elle ne répondit pas.

— Tu as aimé m'embrasser, insista-t-il, gentiment provocateur.

— C'est vrai. Vous avez de nombreux talents, docteur Garrett…

— Merci. Pourtant, ce n'était qu'un simple baiser. Prometteur, certes…

Elle laissa échapper un rire un peu rauque, trahissant, malgré elle, le désir qui pulsait encore dans ses veines.

— J'en ai bien peur, dit-elle, sincère.

— Parce qu'il y a quelque chose entre nous.

— C'est ce qu'on appelle une attirance physique.

— Plus que ça.

Elle secoua de nouveau la tête.

— Je refuse que ce soit plus que ça.

— Tu crois que ça se contrôle ?

— Oui, répondit-elle d'un ton presque farouche. On n'aurait pas dû…

Elle s'écarta davantage.

— Excuse-moi. Je suis compliquée, fit-elle.

— Je comprends. Je le suis aussi. Mon divorce n'a rien arrangé, dit-il, soudain totalement dégrisé.

Leur baiser l'avait plongé dans un état de délicieuse euphorie qui n'avait duré que quelques minutes. Il aurait aimé goûter de nouveau aux lèvres de Georgia, mais il savait que ce serait une erreur.

Elle lui prit la main et la serra tendrement dans la sienne.

— On est voisins et amis… Peut-être un peu plus qu'amis…

Il la regarda, et cette fois, une émotion très différente se coula en lui, mélange d'impatience et de joie.

— Un peu plus qu'amis, oui. Je l'espère.

C'était bon de prononcer cette phrase…

— Au fait, avant que j'oublie, je risque d'avoir de nouveau des chiens à la maison à partir de demain, dit-il, heureux de pouvoir changer de sujet. Mon frère ne leur a pas trouvé de famille, à ces deux-là. En attendant, Finnigan et Fredick resteront chez moi.

— Finnigan et Fredick ?

— Ce sont leurs noms, dit-il en riant doucement. Je sais, c'est original…

— Quinn et Shane seront ravis de retrouver Finnigan et Fredick !

Et elle lui adressa un sourire éclatant.

— Qu'ils viennent quand ils veulent.

— Merci. Ça leur fera du bien. Ils ont besoin de rire…

— Je sais.

Ils se regardèrent en silence quelques instants. La nuit était totalement tombée à présent, mais le ciel restait clair, constellé d'étoiles.

— Bon… Je vais aller dormir, dit-elle dans un murmure.

— Fais de beaux rêves.

— Merci. Toi aussi, Matt.

Elle esquissa quelques pas, puis se retourna vers lui.

— Tu sais, je… je suis très contente de te connaître.

— Je suis également très heureux de t'avoir rencontrée.

Elle lui sourit, soutint son regard et tourna les talons.

8.

Profondément troublée par la tournure que prenait les événements, Georgia savait qu'elle ne serait plus capable de prétendre que Matt la laissait indifférente. Elle y avait pensé presque toute la nuit, trouvant une fois de plus difficilement le sommeil.

A présent, entre eux, tout serait différent. N'avaient-ils pas échangé un baiser ? Et ce qu'elle avait senti à ce moment-là, elle ne pouvait pas l'oublier. Un tourbillon de sensations, un plaisir intense, et une envie pressante, dangereuse peut-être, d'aller plus loin.

Sauf qu'en elle-même, l'appréhension se mêlait à l'impatience de mieux connaître Matt.

Il lui envoya un texto dès le lendemain matin pour la remercier — de quoi, vraiment ? — et lui proposer de passer en fin de journée : il emmènerait Shane et Quinn se promener avec les petits chiens, qu'il avait donc récupérés. Elle accepta de bon cœur…

Et à 18 heures précises, il sonna chez elle. En jean et T-shirt, le visage détendu, il tenait Finnigan et Fredick en laisse, deux boules de poils noirs et blancs à peine plus grands que la première fois où elle les avait vus. Shane et Quinn s'extasièrent en les découvrant. Matt attendit qu'ils aient, l'un et l'autre, prodigué suffisamment de caresses avant de s'éloigner, tenant les garçons par la main.

Emue, elle les suivit du regard pendant qu'ils se dirigeaient vers l'autre bout de la rue. Elle confiait ses enfants chéris à Matt… sans crainte. Cette constatation la bouleversait plus qu'elle ne voulait l'admettre.

Durant le temps de liberté que lui offrait la promenade organisée par Matt — par chance, Pippa somnolait tranquillement —, elle consulta ses e-mails et répondit à quelques messages importants. Mais elle eut du mal à se concentrer. Matt emplissait ses pensées… Toutes ses pensées.

Agacée, elle finit par se détourner de son ordinateur. Jusqu'à présent, elle avait toujours réussi à rester focalisée sur ses objectifs ; en prenant du retard, d'accord, néanmoins, elle avançait dans ses projets. La veille au soir, mettant à profit son insomnie, elle avait fini de lire le fameux manuscrit qu'elle devait annoter, et envoyé ses commentaires à ses associés.

Là, en revanche, rien à faire… Son esprit était relié, rattaché, comme par un fil invisible, à Matt et à ce qu'il venait d'entreprendre, créant soudain d'autres horizons dans sa vie et celle de ses enfants.

Leur absence lui paraissait presque irréelle.

Elle nourrit Pippa, au biberon, cette fois… Et sa petite fille l'accepta ! Puis Georgia rangea la chambre de ses fils et le salon. Elle triait des documents sur la table de la salle à manger, définitivement transformée en bureau, quand la sonnette de la porte d'entrée retentit. Elle bondit pour aller ouvrir. Sur le seuil se tenaient Matt, Shane et Quinn. Les jumeaux avaient les joues rouges et les yeux brillants de joie.

— Déjà de retour ?

Croisant le regard amusé de Matt, elle sentit son cœur battre la chamade.

— Si tu veux, on repart ! fit-il.

— Non, non…, répondit-elle en riant.

— On a fait courir les chiens, beaucoup, beaucoup, et maintenant, ils vont dormir beaucoup, beaucoup ! dit fièrement Shane. Le Dr Matt a dû les ramener à la maison parce qu'ils étaient trop fatigués pour marcher.

— A ce point ?

Elle rit de nouveau.

— J'imagine que vous aussi, vous êtes fatigués, dit-elle en ébouriffant les cheveux de Quinn.

— Non, dit Shane. On veut aller manger une glace.

— Une glace ? répéta-t-elle, surprise.

— Tu sais, ces boules glacées, sucrées, exquises, dit Matt en souriant.

— J'ai dû en manger une fois ou deux, répondit-elle du tac au tac.

— Mais tu as déjà goûté aux succulents sorbets du glacier Walton ? Un pur délice, et c'est à dix minutes à pied d'ici.

— J'avoue que non, dit-elle.

Il y avait de nombreux délices qu'elle aurait été prête à découvrir avec cet homme.

— Dans ce cas, il faut réparer cette erreur au plus vite, dit-il.

Elle s'efforça d'ignorer le tumulte intérieur qui, soudain, menaçait de la submerger, mélange de désir, d'envie, de gourmandise… et de crainte.

— C'est presque l'heure du dîner ! répondit-elle.

Elle jeta un coup d'œil à ses fils, espérant les décourager de négocier. Mais ce fut Matt qui ouvrit le feu.

— Exceptionnellement, vous pourriez commencer par le dessert ?

Il soutint son regard, la défiant de refuser…

Et une fois de plus, elle sentit son pouls s'accélérer.

— Désolée, mais si Shane et Quinn mangent une glace maintenant, ils n'auront plus faim pour le dîner.

— Maman, s'il te plaît ! supplièrent Quinn et Shane en chœur.

Elle réprima un soupir. Au fond d'elle-même, elle était tentée, bien sûr, mais ce serait contraire à ses principes…

— Lorsque Pippa se réveillera, elle aura faim et il faudra la changer.

A ce moment-là, comme par hasard, ils entendirent Pippa qui babillait dans le salon.

— Elle est réveillée, dit Quinn.

— Elle veut venir avec nous, renchérit Shane.

Elle hésita encore, tiraillée entre ce que lui dictait le bon sens, et son envie soudaine de sortir, de briser les règles, de s'amuser, elle aussi…

Ce fut ce qu'elle lut dans les regards de ses enfants qui vainquit ses dernières résistances. L'espoir, la joie… La vie ! Et le sourire que lui adressa Matt au même instant.

— Très bien, je change Pippa et on y va !

Quand Matt avait accepté de recueillir de nouveau les chiots, son frère Luke lui avait affirmé que cela ne lui demanderait aucun travail supplémentaire. Et il n'en avait rien cru. Un chiot avait besoin d'attention, d'affection, de jeux… Luke était prêt à raconter n'importe quoi pour le convaincre de garder Finnigan et Fredick ! Mais, finalement, les deux petits beagles auraient leur dose d'activités et de tendresse grâce à Shane et Quinn.

A présent, Georgia, les enfants et lui se dirigeaient vers le salon de thé Walton. En fait, son frère lui avait offert l'occasion parfaite de continuer à tisser des liens avec Georgia et sa famille. Pendant la promenade, Shane et Quinn s'étaient montrés merveilleusement joyeux, et leur plaisir lui avait fait chaud au cœur. Il suffisait de si peu pour rendre un enfant heureux…

Et lui-même, à cet instant, se sentait le plus chanceux des hommes. Georgia avait mis Pippa dans son porte-bébé, et il poussait la poussette où les jumeaux étaient installés, fatigués d'avoir tant couru. Georgia et lui marchaient ensemble, le plus naturellement du monde. Comme une mère, un père et leurs enfants.

A cette pensée, son cœur se serra. Des idées noires affluèrent à son esprit. Non sans peine, il parvint à les chasser. Surtout, ne pas penser à *ça*. Pas maintenant. Cela risquerait de tout gâcher. Il se rappela alors, de nouveau, le baiser fougueux que Georgia et lui avaient échangé, et laissa le désir revenir en lui.

Le désir de goûter à ses lèvres, encore…

Le désir d'y croire, aussi.

Une fois chez Walton, Georgia regarda autour d'elle d'un air admiratif, appréciant visiblement le décor moderne, les différents thés proposés sur les affiches, les appétissants parfums de glace dans leurs présentoirs…

— Mais je n'ai pas le droit de manger de glace, pas vrai ? dit-elle tandis qu'ils s'asseyaient à une table. Pippa va vraiment mieux depuis que j'ai suivi ton conseil.

— Les sorbets sont excellents, et ne contiennent pas de lait.

Elle lui sourit et il sentit une douce chaleur l'envahir. Il éprouvait un tel bien-être en sa compagnie… Cela allait bien au-delà d'une simple alchimie physique. Déjà.

Surexcités, les enfants commandèrent des boules au chocolat et à la vanille dans des larges cônes de gaufrette croustillante. Il choisit une coupe poire, pistache et mangue, et Georgia, un sorbet citron-framboise.

Tout en dégustant leurs glaces, ils parlèrent de tout et de rien et échangèrent des blagues. A plusieurs reprises, il croisa le regard de Georgia, et son cœur s'emballait. Elle était visiblement détendue, et plus ravissante que jamais. Pippa avait été installée dans la poussette de ses frères qui, eux, étaient fièrement assis à table. Le temps passa vite… Très vite. Ils ne restèrent qu'une petite heure, mais cela suffit amplement pour qu'ils partagent quelque chose d'essentiel : de la joie, de l'affection, de l'amitié…

Et sans doute plus, même si c'était encore interdit. Il n'avait pas éprouvé un tel sentiment de paix depuis très longtemps… Une émotion qu'il croyait ne plus jamais ressentir. L'espace d'une heure, il oublia son quotidien à l'hôpital et les difficultés qu'il devait régulièrement affronter face à ses patients.

Il oublia surtout le chagrin profond qui demeurait ancré en lui depuis trois ans. Il n'avait pas osé en parler à Georgia… Peut-être un jour.

Sûrement.

Quand il serait prêt à tout lui confier.

De retour chez elle, Georgia prépara rapidement une

purée de légumes et des pâtes, que Shane et Quinn avalèrent avec un appétit surprenant. Matt avait refusé de dîner avec eux, expliquant que leur « incartade gourmande » — il avait employé ces termes — l'avait « comblé ». Il lui avait souri en prononçant ces mots, et elle avait été parcourue d'un délicieux frisson. Le sens figuré de son choix de vocabulaire était si évident…

Elle aurait pu employer le même qualificatif. Elle n'avait pas ressenti un tel bonheur depuis une éternité. Comment un moment aussi simple pouvait-il les remplir de joie à ce point ? C'était incroyable.

Non, c'était la vie…

La vie qui continuait…

Et peut-être une page qui se tournait enfin.

Puis Matt l'avait invitée au barbecue qu'il organisait le dimanche suivant, et elle avait accepté sans hésiter. Il en avait été visiblement heureux, et avait précisé qu'elle y retrouverait Kelsey, Brittney… Et qu'elle rencontrerait également ses frères Jack et Luke, ainsi que quelques-uns de ses bons amis. Il avait même précisé que cela lui ferait « du bien ». Un peu surprise, elle lui avait demandé si elle semblait aller si mal que ça… Il s'était contenté de hocher la tête d'un air songeur.

Il savait ce qu'elle avait vécu, et ce qu'elle vivait encore, seule avec ses enfants. Il se proposait de les aider… D'être là, comme un ami.

Un *ami* ?

En regardant Pippa qui tétait goulûment, sa petite bouche collée à son sein, Georgia se sentit soudain remplie d'un espoir nouveau. Grâce à Matt, elle se sentait enfin redevenir pleinement vivante en tant que femme. Et c'était merveilleux…

9.

A plusieurs reprises, Matt se surprit à redouter que Georgia n'annule sa venue. Mais elle n'en fit rien… Et le dimanche, elle arriva en fin de matinée, comme prévu. Avec ses cheveux noués en chignon, son petit short noir et son chemisier en jean, elle semblait plus jeune que jamais. Ses fils se tenaient sagement près d'elle, et Pippa était dans la poussette.

Il alla les accueillir, soulagé et heureux. S'il s'était écouté, il aurait embrassé Georgia devant tout le monde, il l'aurait serrée contre lui…

— Tu vas bien ? demanda-t-il, refoulant le désir qui l'envahissait, le prenant presque au dépourvu.

Elle lui sourit, et une fois de plus, il sentit son cœur s'emballer.

— Oui, très bien. Merci encore de nous avoir invités. On…

Quinn interrompit sa mère :

— Ils sont où, Finnigan et Fredick ?

— Là-bas, répondit Matt en désignant les chiots qui jouaient sous l'arbre à cabane.

Aussitôt, les deux garçons filèrent à fond de train.

— Quelle extraordinaire énergie ! dit Kelsey en rejoignant les adultes. Bonjour… Nous nous sommes déjà rencontrées, je crois, ajouta-t-elle à l'attention de Georgia.

— Oui… Quand j'ai apporté des cookies à Matt, répondit celle-ci en souriant.

— Ils étaient délicieux.

— Merci…

Kelsey regarda Shane et Quinn qui, à présent, couraient avec les chiots dans le jardin. Elle ébaucha un sourire teinté de tendresse et de nostalgie.

— Je me souviens de Brittney au même âge… Elle avait tellement d'énergie ! Trop, même.

— Les enfants en ont toujours à revendre, dit Georgia. Parfois, cela me dépasse !

Kelsey hocha la tête d'un air compatissant.

— Vous avez des jumeaux… Ça ne facilite pas les choses.

— C'est sûr. En même temps, ils sont toujours ensemble, ils sont solidaires, et c'est précieux.

Matt les écoutait sans rien dire, envahi d'émotions indéfinissables. Il avait attendu cette journée avec une telle impatience ! Et cela lui faisait si plaisir que Georgia et Kelsey sympathisent ainsi…

Le ciel était bleu, il ne faisait pas trop chaud… Un temps idéal pour son barbecue. Ses invités étaient déjà tous arrivés. Ses frères Jack et Luke discutaient ensemble un peu plus loin. Sur les braises, des saucisses et des côtes d'agneau grillaient doucement, répandant un appétissant fumet. Chacun avait apporté une salade, une quiche, une pizza… Le buffet serait bien garni ! Il aimait qu'il en soit ainsi. Mieux valait qu'il y ait trop que pas assez.

Kelsey proposa à Georgia d'installer Pippa dans le parc que Brittney avait apporté. Georgia s'en étonna, ravie, et Kelsey lui expliqua que sa fille avait même proposé de s'occuper de tous les enfants présents ce jour-là.

— Brittney est une perle ! dit Georgia. Où est-elle ?

— Dans la cuisine, sans doute, mais elle ne va pas tarder à nous rejoindre…

Les deux femmes s'éloignèrent pour mettre Pippa à l'ombre, dans un coin visible de tous et à l'abri. Sur le tapis de sol, elles disposèrent des peluches, des poupées, des cubes… Pippa s'en empara en poussant un cri joyeux. Peu de temps après, Shane et Quinn revinrent en portant chacun un chiot dans les bras, et ils se mirent à jouer près d'elle.

Matt entendit Georgia dire à Kelsey que ses fils adoraient leur petite sœur, qu'ils étaient solidaires… Qu'elle avait de la chance de les avoir tous les trois… Puis, comme Kelsey rejoignait son mari, Ian, qui s'occupait du barbecue, il retourna auprès de Georgia afin de la présenter à ses invités : Luke et Jack qui, d'après Georgia, ne ressemblaient pas à Matt ; Adam Webber et Melanie Quinlan, Tyler Sullivan, le frère de Tyler, Mason, et sa femme Zoé ainsi que leurs enfants ; Gage et Megan Richmond et leur fils âgé de trois ans, Marcus.

— Et voici la sœur de Megan…

— Je ne me souviendrai jamais de tous les noms, dit Georgia.

— … Ashley Turcotte et son mari, Cameron.

Mais Georgia sourit au couple qui venait vers eux.

— Ah, enfin quelqu'un que je connais ! Le Dr Turcotte est mon nouveau médecin de famille, dit-elle à Matt.

— J'oublie ma profession quand je ne porte pas ma blouse blanche ! répondit Cameron.

— Sauf, évidemment, si quelqu'un s'écorche méchamment le genou dans les parages, dit sa femme en tendant la main à Georgia. Enchantée.

— De même. Je suis Georgia Reed.

— C'est vous qui avez emménagé à côté de chez Matt, n'est-ce pas ? dit Ashley.

— C'est plutôt Matt qui a emménagé à côté de chez moi, répondit Georgia en souriant.

Ashley Turcotte se mit à rire.

— Oui, en effet. Je suis au courant. Néanmoins, les rumeurs se focalisent inévitablement sur les inconnus !

— Evidemment, dit Georgia en jetant un coup d'œil amusé à Matt. Le Dr Garrett est du coin.

— Eh oui… Où sont Maddie et Alyssa ? demanda Matt, changeant de sujet.

— Nos filles ont découvert le bonheur de ta cabane dans l'arbre, répondit Ashley.

— Elles ont mangé ? demanda Cameron.

— Maddie prétend qu'elle n'aura faim qu'après avoir exploré absolument tout ce qui peut être exploré ici. A mon avis, il faudra leur apporter des sandwichs ! Où sont vos enfants ? demanda Ashley à Georgia.

— Là-bas…

Georgia désigna Shane et Quinn, installés à côté de Pippa. Brittney les avait rejoints et Matt, croisant le regard de Georgia, devina qu'elle était rassurée que la jeune fille soit là.

— Tout va bien…

— Oui, tout va bien, dit Georgia. J'ai faim !

— Moi aussi, dit-il. Viens… Excusez-nous, fit-il à l'attention de Cameron et Ashley.

Durant les deux ou trois heures qui suivirent, Matt eut l'impression d'avoir vingt ans. Assis dans l'herbe non loin des enfants qui s'étaient peu à peu regroupés autour de Pippa — la plus jeune devenait la star ! —, il bavarda avec Georgia de tout et de rien, comme lorsqu'ils étaient sortis en famille déguster des glaces.

En famille…

A plusieurs reprises, et une fois de plus, il ressentit une vive émotion en s'avouant cette pensée. Il avait l'impression, tout à fait intempestive, de faire partie de la famille de Georgia. C'était bon…

Tout comme le désir qu'il éprouvait chaque jour davantage pour elle. C'était même plus que bon… C'était savoureux, excitant, merveilleux. Ses frères avaient forcément remarqué qu'il était très proche de Georgia, mais ils se contentaient de lui sourire gentiment, comme pour l'encourager. Ils savaient, l'un et l'autre, que Matt devait tourner la page et oublier le passé une bonne fois pour toutes.

Ce qu'il était bel et bien en train de faire. Lentement mais sûrement. Grâce à Georgia. Même si elle lui avait clairement fait comprendre qu'elle n'envisageait rien de plus qu'une amitié, il sentait qu'entre eux le courant passait. Et aujourd'hui, il comptait avancer encore davantage sur le nouveau chemin qui se dessinait devant lui…

Devant eux.

Il était presque 19 heures quand le dernier invité s'en alla. Georgia aurait dû partir, elle aussi, mais elle resta, contrainte par ses fils : lorsqu'elle leur avait dit qu'il était temps de rentrer, elle avait déclenché un concert de protestations ! Puis Shane et Quinn s'étaient précipités en courant dans le jardin…

Au cours de l'après-midi, ils avaient joué dehors pendant des heures, avec les chiots et les autres enfants, sous la surveillance de Brittney.

Pippa dans ses bras, Georgia rejoignit Kelsey dans la cuisine. Elle appréciait la mère de Brittney avec qui, pourtant, elle n'avait échangé que quelques mots. C'était une femme sympathique, spontanée, et visiblement dévouée à sa famille comme à ses amis. Enfin, surtout à Matt…

— Brittney est vraiment adorable. L'autre fois, à l'hôpital, elle m'a impressionnée par son savoir-faire, alors qu'elle est si jeune. Et aujourd'hui, ici, elle s'est tellement donnée avec les enfants ! Elle est responsable, elle a le sens de l'initiative et une grande générosité. Que de qualités !

— Oh… Merci, dit Kelsey, visiblement touchée par tant de compliments. Brittney aime beaucoup les enfants, c'est sûr, et je la trouve plutôt mûre pour son âge. Elle sera une bonne pédiatre ! Mais peut-être changera-t-elle d'avis à propos de son métier. On verra. Elle est encore si jeune.

Elle empila une pile d'assiettes propres puis regarda Georgia d'un drôle d'air et ajouta à mi-voix :

— A propos d'enfants… Matt s'est attaché à Shane, Quinn et Pippa, n'est-ce pas ?

Soudain mal à l'aise, Georgia berça machinalement Pippa, qui commençait à s'assoupir. Elle l'avait allaitée un quart d'heure plus tôt.

— Je ne sais pas. Peut-être. On est voisins, on s'apprécie et…

— Ne vous sentez pas obligée de justifier quoi que ce soit, dit doucement Kelsey. Matt est seul depuis si longtemps.

— C'est ce que j'ai cru comprendre. Je suis seule également… J'ai perdu mon mari.

Kelsey esquissa une moue attristée.

— Alors vous avez tous les deux besoin de tourner la page.

— Oui… Mais ce n'est pas facile, murmura Georgia.

Kelsey l'observa en silence quelques instants.

— Je connais bien Matt, très bien, même. C'est un homme digne de confiance. Il a tant souffert que…

Elle s'interrompit brusquement : Matt se tenait sur le seuil de la pièce, ébauchant un léger sourire.

— Qu'est-ce que vous complotez, toutes les deux ?

Kelsey rit.

— On continue à faire connaissance. Content de cette journée ?

— Très. La fête a été réussie, je crois. Tout le monde s'est régalé.

Il jeta un coup d'œil à Georgia et ajouta :

— Shane et Quinn sont en train de s'endormir devant un dessin animé.

— Ah bon ? Ils ne jouent plus dehors ?

— Ils sont rentrés il y a une dizaine de minutes. Brittney les a installés sur le canapé.

Georgia le suivit dans le salon. Ses deux fils étaient blottis l'un contre l'autre, les yeux mi-clos, avec les chiots, également assoupis, à côté d'eux. Les images pleines de couleurs d'un film de Walt Disney défilaient sur l'écran de la télévision, dont le volume avait été baissé.

— Je ne sais pas si j'ai bien fait ! chuchota Brittney.

— Bien sûr que oui, répondit Georgia, rassurante. Ils se sont tellement dépensés qu'ils tombent de sommeil. Je les porterai jusque dans leur lit… Ma maison n'est pas très loin !

Contre elle, Pippa dormait également. Georgia la posa

doucement dans un fauteuil puis elle se tourna vers Kelsey et Matt.

— Merci à vous, j'ai passé un excellent moment. Je ne m'étais pas autant amusée depuis longtemps, dit-elle, sincère.

— Tu restes boire un dernier verre ? demanda Matt.

— Oh ! Il vaudrait mieux qu'on rentre parce que…

— Nous, on y va, dit alors Kelsey en jetant un coup d'œil à sa fille. Tu viens, ma chérie ?

— Oui, maman, j'arrive !

Elles leur firent une bise et s'éclipsèrent rapidement. Surprise, Georgia regarda Matt.

— Elles se sont sauvées ou quoi ?

Il lui sourit.

— Peut-être… Mais j'avais hâte qu'elles partent.

— Vraiment ?

— Tu ne t'en doutais pas ?

Et, en souriant de nouveau, il se dirigea vers la cuisine. Elle lui emboîta le pas.

— Tu as des amis sympas, dit-elle, troublée mais refusant de rebondir sur sa question. Vous vous connaissez depuis longtemps ?

— Pour la plupart, depuis le collège.

— C'est génial, ça. Moi, je n'ai jamais pu garder contact avec mes camarades d'école.

— Pourquoi ?

— Ma mère déménageait souvent ! Au gré de ses amours si changeantes…

Il versa deux verres de vin rosé bien frais, en tendit un à Georgia, et tous deux s'assirent à table, l'un en face de l'autre.

— Si changeantes…, fit-il, l'air songeur. A ce point ?

— C'est une éternelle amoureuse. D'ailleurs, elle va bientôt se remarier. Encore !

Il hocha la tête.

— Si elle est heureuse… Et ton père, où est-il ?

— Quelque part à Atlanta. Il adore la Géorgie et les Géorgiens !

— Ce ne serait pas pour ça, par hasard, qu'il t'a baptisée Georgia ?

— Va savoir ! répondit-elle avec un petit rire. D'autant que j'ai une demi-sœur prénommée Virginia, et une autre demi-sœur qui s'appelle Indy.

— Indy… Le raccourci d'Indiana : un autre Etat que ton père adorait ?

— Non. C'est le raccourci d'Indianapolis, où il y a un célèbre circuit automobile ! Son père était pilote, et, pendant que ma mère était enceinte, on n'a pas cessé de voyager. Comme Charlotte, ma mère, ne savait pas si son bébé avait été conçu dans le Wisconsin ou l'Iowa, elle a décidé de le baptiser Indy.

— Ta mère semble être une originale.

— Et une grande amoureuse, dit-elle de nouveau. Pour elle, une seule chose compte : les sentiments. Elle a toujours écouté son cœur.

Il l'observa attentivement.

— Une philosophie que tu désapprouves ?

— Disons que je l'ai souvent vue le cœur brisé.

— Et toi, tu écoutes ce que te dit ton cœur ?

Elle détourna le regard.

— Je pense que ce que le cœur désire doit être contrebalancé par la raison. Il y a le pour et le contre.

— C'est ce qui s'est passé quand tu t'es fiancée à ton futur mari ? Tu as pesé le pour et le contre ?

— On ne s'est pas fiancés.

— Quoi ?

Cette fois, il la contemplait avec une telle stupeur qu'elle ne put s'empêcher de rire.

— Eh oui, c'est arrivé comme ça. On a parlé de se marier, on a décidé que c'était ce qu'on voulait tous les deux, et on l'a fait. On formait déjà un couple, il ne s'agissait donc que d'une formalité.

Il esquissa une moue.

— Une simple cérémonie civile ?

— Oui.

— Si c'était ce que tu voulais…

Elle garda le silence. Elle s'était répété à maintes reprises que c'était ce qu'elle avait souhaité : porter une belle robe blanche, un voile de dentelle, avoir un beau bouquet, écouter des mots romantiques ? Non, ce n'était pas Georgia Reed, ça.

Elle s'était répété qu'elle n'était pas comme sa mère.

Et même si elle avait éprouvé un pincement de regret en assistant aux superbes cérémonies de mariage de certaines de ses amies, pour rien au monde, elle ne l'aurait avoué.

Surtout pas maintenant.

Elle se leva.

— Je vais jeter un coup d'œil aux enfants.

Tous les trois dormaient profondément, les jumeaux blottis l'un contre l'autre, et toujours à côté des chiots qui dormaient également.

— Quel tableau ! chuchota Matt, qui l'avait suivie.

Il se tenait tout près d'elle, et elle sentit son souffle, son odeur. Un désir au goût d'interdit s'embrasa en elle. Non, il ne fallait pas…

— Je vais les porter jusqu'à chez moi. Ils seront mieux dans leur lit.

— Tu vas les réveiller ? Ils ont l'air si bien…

C'était vrai. Elle ne pouvait pas dire le contraire.

Ils retournèrent dans la cuisine.

— Et toi, comment tu vas ? demanda Matt. Pas trop fatiguée ?

— Même pas ! dit-elle en souriant. Je me suis reposée, aujourd'hui. Brittney s'est occupée des enfants, et moi, pour une fois, je me suis vraiment détendue. Il faudrait que tu nous invites plus souvent !

Lorsqu'elle se rendit compte du sous-entendu peu flatteur, il était trop tard. Matt vint vers elle en lui souriant.

— Quand tu veux. J'aime votre compagnie à tous les quatre.

— Tous les *quatre*. Tu parles d'une famille nombreuse !

— Et alors ? J'adore être avec toi et tes enfants.

— Pardon, je ne voulais pas te vexer, murmura-t-elle.

— Tu ne m'as pas vexé.

Il la regarda intensément.

— Je voudrais juste te dire que…

Puis, s'interrompant, et avant qu'elle ait pu réagir, il l'enlaça et s'empara de ses lèvres.

10.

Matt ne voulait plus écouter la voix de la patience, et encore moins celle de la raison. Il était prêt à tout risquer — leur amitié, leur bon voisinage… —, là, tout de suite, pour sentir si, oui ou non, Georgia partageait son désir…

Quelques secondes plus tard, alors que ses lèvres jouaient avec celles de Georgia, il eut la preuve dont il avait besoin.

Bouleversé, il l'étreignit passionnément. Elle glissa les mains sous sa chemise et, resserrant son étreinte, enfonça presque ses ongles dans son dos. Alors il approfondit son baiser, leurs souffles s'entremêlèrent. Leurs langues se cherchèrent avec avidité, comme pour boire en eux et rassasier une soif qu'ils essayaient vainement de maîtriser depuis leur toute première rencontre.

Appuyée au comptoir de la cuisine, elle répondit à son baiser avec passion. Il sentit un désir brûlant, irrésistible, jaillir en lui…

En eux.

Elle se pressait contre lui, arquée, vibrante… Lorsqu'il détacha ses lèvres pour l'embrasser sur la gorge puis dans le cou, il ressentit le frisson qui la parcourait, écho de ce qu'il éprouvait, lui aussi, de la tête aux pieds.

Un tourbillon incontrôlable.

S'enhardissant, il traça, de la pointe de la langue, un sillon imaginaire jusqu'à la bretelle de son soutien-gorge, savourant le grain délicat de sa peau. D'une main, il découvrit la rondeur de ses seins et leur douce plénitude, titillant leur pointe qui durcit instantanément sous ses doigts. Mais à ce moment-là, laissant échapper un gémissement, elle sembla se pétrifier.

— Non, non…

Il arrêta aussitôt ses caresses. D'un geste ferme mais doux, il l'obligea à relever la tête vers lui.

— Non ?

Elle soutint son regard, les yeux brillants de désir et de larmes contenues.

— Je ne sais pas ce que je fais.

— Laisse-toi aller.

— Je ne sais pas…

« Je ne sais pas. » Elle exprimait exactement la vérité, il en était sûr.

Bouleversé, il la serra fort, très fort… Mais dans une étreinte de pure tendresse, cette fois. Il aurait tant voulu qu'elle sente tout ce qu'il éprouvait pour elle et qu'il ne pouvait nommer. Pas encore.

Lorsqu'elle s'écarta, lentement, comme à regret, il tenta d'ignorer la déception teintée de tristesse qui le submergeait.

— Je vais t'aider à ramener tes enfants chez toi, dit-il en s'efforçant de sourire.

— Si tu veux…

— Tu t'occupes de Pippa, et moi, des garçons.

— D'accord.

Et à son tour, elle ébaucha un sourire, un sourire dépourvu de joie.

Elle gagna le salon et, doucement, prit Pippa dans ses bras. Shane et Quinn dormaient à poings fermés, et Matt eut toutes les peines du monde à les soulever en même temps sans les réveiller. Mais miraculeusement, il y parvint, les calant l'un et l'autre contre ses épaules.

Il ôta ses chaussures à l'entrée de la maison de Georgia et porta les garçons dans leur chambre, à l'étage, pendant qu'elle changeait Pippa. Evitant les pyjamas soigneusement pliés au pied de chaque lit, il allongea délicatement Quinn, puis Shane.

Il n'avait pas oublié ces gestes familiers…

Impulsivement, il déposa un baiser sur le front de Shane, et, au même moment, le petit garçon murmura dans son sommeil :

— Bonne nuit, papa…

Matt s'immobilisa, la gorge nouée, bouleversé par l'impact de ces paroles prononcées inconsciemment.

Non, ne pas penser, ne pas se rappeler, pas maintenant…

Se ressaisissant, il embrassa le front de Quinn qui, lui, ne réagit pas. Matt en fut presque déçu !

Georgia sortait de la chambre de Pippa quand il redescendit. Elle le rejoignit dans le vestibule.

— Encore merci, Matt. Et merci de nous avoir invités aujourd'hui.

— De rien.

Il ne put s'empêcher de l'embrasser, lui effleurant simplement les lèvres avec délicatesse. Elle les garda obstinément closes ; il ne s'en étonna pas.

Dorénavant, il savait qu'elle éprouvait le même désir que lui. Sauf qu'il faudrait attendre qu'elle s'en rende compte…

Et surtout, qu'elle l'accepte.

Six jours s'écoulèrent. Six jours durant lesquels Georgia se posa mille et une questions, avant de conclure qu'elle avait dû rêver son étreinte passionnée avec Matt.

Presque une semaine qu'il ne donnait plus signe de vie ! Non seulement elle ne l'avait pas revu, mais elle n'avait eu aucune nouvelle. Pas même un texto.

Sans doute l'avait-elle vexé. Ou rebuté. Elle s'était montrée incompréhensible, changeante… Une femme qui ne savait pas ce qu'elle voulait, acceptant un baiser puis agissant comme s'il s'était agi d'un accident, d'une erreur regrettable.

Oui, elle avait dû le décourager. Normal. Elle-même était découragée…

Peut-être parce qu'elle ne savait plus être femme.

Depuis le décès de Phillip, elle était mère avant tout. Une maman qui, jour après jour, s'efforçait d'élever ses enfants aussi bien que possible, et de les aider à surmonter la perte de leur père. Le sexe ? Elle n'y avait plus pensé du tout. Le plaisir de son propre corps ? Elle n'y songeait même pas. Cela n'avait plus aucune importance, pour elle. Elle pouvait parfaitement s'en passer.

Puis Matt avait surgi dans sa vie…

Durant ces six jours, elle se surprit à regretter, par moments, de l'avoir rencontré. Pourquoi n'avait-elle pas pour voisin un vieux monsieur bedonnant ? Sa vie aurait finalement été plus simple !

Mais, au fond d'elle-même, elle savait qu'elle se mentait en nourrissant de telles pensées.

Le septième jour, un vendredi, elle avait rendez-vous à l'hôpital pour faire ôter le plâtre de Shane. Ce fut un jeune interne qui s'occupa de lui, et tout se passa bien.

— Même pas mal ! dit Shane en quittant le service de chirurgie orthopédique, les yeux brillants de fierté, se tenant le bras malgré tout.

— Tu es réparé, maintenant ! dit Quinn.

Au même instant, elle reçut un SMS :

> Il va bientôt pouvoir jouer au foot ! Fais-lui un bisou de la part du Dr Matt !

Elle se retourna, le cœur battant. Les avait-il vus ? Si c'était le cas, pourquoi ne s'était-il pas manifesté ? Mais il devait être en consultation. Oui, sûrement…

Elle lui répondit aussitôt :

> Merci, oui ! A bientôt ?

Il remarquerait le point d'interrogation… Peut-être comprendrait-il ce qu'elle ne pouvait dire, pas plus à lui qu'à elle-même, d'ailleurs. Quelques secondes plus tard, il lui envoya trois mots très clairs :

J'espère. J'espère beaucoup.

Beaucoup.

Elle ressentit une bouffée de joie. Un mélange d'espérance et de désir… Une envie profonde de le revoir au plus vite…

Et de lui parler. De partager avec lui d'autres moments simples et précieux… Des moments de vie qui les rendraient heureux.

Matt avait couru un risque en restant silencieux pendant si longtemps. Une semaine… Mais il avait pensé à elle tous les jours. A chaque instant. Heureusement, son travail nécessitait la plus grande concentration, faute de quoi il aurait été obsédé par une seule et unique envie : retrouver Georgia coûte que coûte, la prendre dans ses bras, l'embrasser… Et lui faire l'amour passionnément.

Remarquant que Shane était inscrit pour les consultations du jour, Matt s'était débrouillé pour ne pas avoir à se charger du petit garçon dont il fallait déplâtrer le bras. La situation aurait été trop gênante pour Georgia… et pour lui. Elle n'avait pas dû oublier le baiser fou qu'ils avaient échangé…

Mais depuis la fenêtre de la salle de consultation, il les avait regardés partir, Georgia tenant ses deux garçons par la main, sa petite fille sanglée dans le porte-bébé, marchant lentement vers le parking. L'émotion l'avait envahi et il n'avait pas pu s'empêcher de lui envoyer un petit message… Afin qu'elle sache qu'il était toujours là pour elle.

Pour eux.

Elle n'avait pas répondu à son tout dernier texto. Cela ne l'étonnait pas. Mais il avait cru percevoir une interrogation emplie de doute dans les simples mots qu'elle lui avait adressés. Elle se posait des questions sur son silence, forcément.

Il faudrait qu'il lui dise tout, qu'il lui explique. Sans plus tarder.

Dès le lendemain. Le week-end s'annonçait, il n'était pas de garde… Il serait donc totalement libre.

Après une brève hésitation, il lui envoya un autre message pour l'inviter à se promener samedi après-midi, avec ses enfants, bien sûr… Et ensuite, pourquoi n'iraient-ils pas manger une bonne glace ? Ou une pizza ? Il les invitait. Si elle acceptait…

11.

Quinn, Shane et Matt jouaient au ballon depuis déjà une vingtaine de minutes, et Georgia ne se lassait pas de les regarder. Apparemment, Pippa, assise dans l'herbe à côté d'elle, appréciait également le spectacle : elle poussait des cris joyeux en agitant ses petites mains.

— Maman, viens ! dit Shane.

— Non, mon chéri…, dit-elle en riant. Je préfère rester ici, à vous admirer ! Comme Pippa, d'ailleurs !

Le bébé était hilare.

— Votre maman se repose, dit Matt à Shane et Quinn. Elle en a besoin.

Elle acquiesça en souriant. Oh ! oui, elle en avait besoin…

Peu à peu, elle se détendrait et oublierait la succession d'épreuves qu'elle avait traversée depuis la mort de son mari. Elle profiterait de nouveau de la vie, comme maintenant…

Grâce à Matt ? En tout cas, elle avait accepté son invitation sans hésiter.

Le parc où il les avait emmenés se trouvait non loin de l'hôpital, dans un quartier résidentiel qu'elle ne connaissait pas. Plusieurs hectares de pelouse vert tendre, des arbres magnifiques, des jeux pour enfants où ils s'étaient d'abord rendus, et où Shane et Quinn s'étaient joyeusement dépensés. D'ici peu, ils tomberaient de fatigue !

Néanmoins, ils trouvèrent encore l'énergie d'aller manger au restaurant. Ils dînèrent tôt, à la terrasse d'une pizzeria, puis ce fut l'heure de rentrer à la maison…

Déjà.

Au fond d'elle-même, elle n'avait pas envie que la journée s'achève aussi vite. Elle n'avait pas vu le temps passer ! Et d'après le regard que lui adressa Matt lorsqu'il se glissa au volant de sa voiture, il partageait son désir.

— Tu viens boire un verre à la maison ? demanda-t-elle tout en installant Pippa dans son siège auto.

Il lui sourit en soutenant son regard. Une lueur intense s'y reflétait. Le message était clair et, détournant les yeux, elle sentit un doux frisson la parcourir. Pas plus qu'elle, il ne souhaitait refermer dès à présent cette parenthèse enchantée.

Une fois chez Georgia, Matt fut mis à contribution par Shane et Quinn : ils insistèrent pour que ce soit lui qui leur donne le bain et leur lise une histoire. Surpris, et ému, il faillit refuser, craignant de ne pas savoir s'y prendre. Evidemment, son hésitation n'échappa pas aux enfants.

— Comme ça, maman pourra se reposer ! dit Shane.

— Elle en a besoin ! dit Quinn, répétant mot pour mot ce que Matt avait dit au parc.

Matt et Georgia échangèrent un coup d'œil amusé.

— Eh bien, j'ai peur que tu n'aies pas le choix ! dit-elle. Moi, je vais changer Pippa, la mettre au lit… et nous préparer un cocktail.

— C'est quoi, un *cotail* ? demanda Quinn.

— Un cocktail, dit Georgia. C'est une boisson avec plusieurs parfums.

Matt lui sourit, appréciant la simplicité de son explication. En tant que médecin, il s'efforçait toujours de se mettre à la portée des enfants lorsqu'il voulait qu'ils comprennent quelque chose. Et quand il était marié avec Lindsay, il avait…

Non, ne pas se rappeler maintenant !

Une fois de plus, il refoula ses souvenirs.

— Alors je veux un *cotail* ! dit Quinn.

— Toi, ce que tu veux, c'est te laver ! répondit Georgia d'un ton gentiment autoritaire. Tu es tout sale.

— Non ! Je veux un *co…*

— C'est l'heure du bain ! dit Matt. Mais où est la salle de bains ? Je ne connais pas bien la maison, moi !

Elle sourit de cette question à but stratégique.

— Viens ! dit Shane.

— Je vais te montrer le shampooing qui ne pique pas les yeux, dit Quinn.

Sentant le regard amusé de Georgia dans son dos, Matt emboîta le pas aux enfants…

Presque une heure s'était écoulée, durant laquelle Georgia s'occupa de Pippa avec une enivrante sensation de légèreté.

Dans la salle de bains, elle avait entendu Shane et Quinn éclater de rire à plusieurs reprises. Un joyeux et inhabituel brouhaha s'était élevé de la pièce. Savoir que Matt était la cause de cette gaieté l'émouvait profondément.

A présent, le silence était revenu : il les avait emmenés dans leur chambre et devait leur raconter une histoire, comme promis.

Après avoir couché Pippa, Georgia s'attarda devant la porte et tendit l'oreille. Ses fils bavardaient avec Matt et lui posaient des questions auxquelles il répondait gentiment. Amusée, elle s'apprêtait à s'éloigner quand Shane lança :

— Tu seras notre nouveau papa ?

— Parce qu'on n'a plus de papa ! dit Quinn.

Elle se figea. Au silence qui s'installait dans la pièce, elle devina que Matt devait être aussi stupéfait qu'elle.

— Sacrés petits loulous, va, dit-il finalement. Bon, maintenant, vous allez dormir, d'accord ?

— On n'a pas sommeil, dit Shane.

— Mais je vais vous raconter une histoire…

La gorge nouée par l'émotion, Georgia s'esquiva rapidement.

Et voilà, les dés étaient lancés. Ce qu'elle avait tant redouté se produisait : non seulement ses fils étaient attachés à Matt, mais, en plus, ils le lui exprimaient sans détour. Elle n'avait plus qu'à espérer que Matt ne les décevrait pas. Quelle que soit la tournure que prendraient leurs relations, il faudrait qu'il reste présent, au moins un peu, pour Shane et Quinn.

Mais pourquoi les aurait-il déçu ? Il était médecin, responsable, il se montrait attentif aux autres, gentil avec les humains comme avec les animaux, et il connaissait leur passé douloureux. Alors…

Elle gagna le salon, s'assit sur le canapé et ferma les yeux. Son cœur battait trop vite, et des pensées contradictoires assaillaient son esprit. D'un côté, elle se réjouissait de ces moments partagés avec Matt, de l'autre, elle ne pouvait s'empêcher d'envisager le pire : les conséquences d'un mauvais choix de sa part sur la vie de ses enfants. Mais était-elle en train de faire un choix ? Pas vraiment… Elle apprenait simplement à connaître Matt, elle commençait à avoir un peu plus confiance en lui et…

— A quoi penses-tu ?

Elle sursauta, ne l'ayant pas entendu arriver.

— A trop de choses… Ça y est, ils dorment ?

— Tous les deux. Et Pippa ?

— Depuis longtemps déjà. A poings fermés. Elle n'a plus mal au ventre, quel soulagement…

Il la contempla quelques instants en silence. Ses yeux brillaient étrangement, comme s'il était ému.

— Merci de m'ouvrir ainsi les portes de ta maison, dit-il alors.

— Merci ? Mais c'est moi qui te remercie d'être là, répondit-elle en essayant d'ignorer la boule qui se logeait dans sa gorge. Depuis que tu es auprès de nous, les enfants vont mieux… Et moi aussi.

— Toi aussi ?

Sentant son cœur battre plus vite, elle se leva et alla vers lui. Leurs regards ne se quittaient pas… Elle eut soudain l'impression d'être hypnotisée. Elle rêvait de ce qui s'apprêtait à se produire depuis le tout premier jour. Elle avait essayé de l'ignorer, de l'oublier… En vain. Malgré son appréhension et ses doutes, elle ne pouvait plus nier l'évidence. Entre eux, c'était magnétique…

Irrésistible.

Quand elle glissa une main autour du cou de Matt, elle

sut qu'elle ne regretterait rien. Quoi qu'il arrive, elle ne regretterait rien.

— Oui, dit-elle simplement.

Et elle l'embrassa.

Il se raidissait un peu. La surprise, sans doute. Mais, une fraction de seconde plus tard, il l'enlaça et répondit fiévreusement à son baiser. Elle laissa échapper un gémissement. Il avait les lèvres fermes et douces, habiles, sensuelles… Aucun homme ne l'avait embrassée ainsi. Le désir courut dans ses veines, brûlant, vertigineux. Là, tout de suite, elle voulait sentir la chaleur de ses mains sur sa peau, partout…

Cédant au tourbillon de sensations qui s'emparait d'elle, elle commença à lui déboutonner sa chemise, mais il s'empara de ses mains et les maintint. Elle leva le visage, chercha ses yeux. Les prunelles de Matt étaient assombries par le désir.

— J'ai envie de toi, murmura-t-elle.

— Tu es sûre ?

— Certaine.

Les lèvres de Matt effleurèrent les siennes, restant tout près et, en même temps, si loin…

— Tu me laisses te découvrir… enfin ? demanda-t-il d'une voix si basse, si chaude qu'elle frissonna de la tête aux pieds.

— Oui. Enfin.

Il emprisonna de nouveau sa bouche, l'embrassant si passionnément qu'elle l'aurait supplié de ne jamais s'arrêter. C'était déjà presque comme faire l'amour…

Lui relâchant les mains, il lui caressa les épaules, la naissance de la poitrine… Elle se blottit contre lui, impatiente qu'il poursuive son exploration sensuelle. Du bout des doigts, il traça des arabesques le long de sa gorge, puis descendit entre ses seins, qu'il caressa doucement. Leurs pointes durcirent sous la fine étoffe du soutien-gorge, et elle poussa un petit gémissement.

Matt cessa aussitôt.

— Je t'ai fait mal ?

— Non…

Elle lui saisit les mains et, dans un geste audacieux, provocant, les replaça sur sa poitrine gonflée.

— Au contraire.

Il sourit, l'air rassuré, le regard intense.

— J'ai tellement envie de toi. Je veux connaître chaque partie de toi, chaque parcelle secrète, chaque courbe… J'en rêve depuis si longtemps…

Tout en parlant, il avait repris ses caresses, de ses seins à ses hanches, le creux de ses reins, son dos, ses cuisses… et elle ferma les yeux, savourant les sensations voluptueuses qui l'enveloppaient.

— On ne peut pas rester ici, au milieu du salon, fit-elle entre deux baisers.

— Une chambre avec une porte qui se ferme, ce serait mieux…

— La mienne est en haut.

Il la souleva dans ses bras avec une surprenante facilité et, suivant ses indications, se dirigea vers l'escalier.

Quand il l'eut déposée sur le lit, elle ressentit un mélange d'impatience joyeuse et de désir intense. Elle pressentait, jusqu'au plus profond d'elle-même, que faire l'amour avec Matt ne serait comparable à rien de ce qu'elle avait pu connaître auparavant.

Il tourna la clé dans la serrure et alluma seulement la lampe de chevet, qui répandit une douce lumière tamisée. Georgia sentait son cœur battre à tout rompre, et le sang pulser à ses tempes. Jamais elle n'avait autant désiré un homme…

Il s'allongea contre elle, lui encadra le visage de ses mains et l'embrassa de nouveau avec délicatesse, puis plus avidement. Alors, peu à peu, les yeux mi-clos, elle se laissa emporter dans un océan de plaisirs où de nouvelles sensations affluaient à chaque instant. Confusément, elle sentit qu'il la déshabillait. Sans que ses lèvres ne quittent les siennes, il dégrafa son soutien-gorge et libéra ses seins. Il les couvrit de baisers tendres et gourmands, enrobant leurs pointes durcies. Puis il déposa une myriade de baisers sur son ventre, et plus bas encore, explorant son intimité avec une infinie sensualité.

Nue dans les bras de Matt, elle se sentit happée par des sensations vertigineuses. Du bout de la langue, il l'amena au bord de la jouissance à plusieurs reprises, jusqu'à ce qu'elle ne puisse plus retenir la vague de délices qui déferla en elle une première fois… Puis encore… S'agrippant à lui, elle laissa échapper un long gémissement de plaisir avant de se pencher vers lui pour l'embrasser avec passion.

Puis, à son tour, elle le dévêtit, impatiente, presque fébrile. A son tour, elle fit courir ses lèvres sur son corps musclé et viril, savourant le grain de sa peau, son odeur légèrement musquée et enivrante. Lorsqu'elle lui prodigua la plus intime des caresses, il tressaillit et plongea les mains dans sa chevelure en murmurant son prénom, son désir palpable et fier. Elle aurait poursuivi s'il ne l'en avait empêchée…

Sans un mot, les yeux rivés aux siens, il roula sur elle et, d'un mouvement souple, vint en elle. Elle faillit crier… Et ne se retint que de justesse. Non loin, ses enfants dormaient ! Toutefois, cet impératif de silence décupla étrangement l'intensité de son plaisir…

Leur plaisir. Passionnément enlacés, corps entremêlés, ils ne faisaient maintenant plus qu'un. Tout en l'embrassant, il l'emmena peu à peu vers d'autres sommets, plus hauts, toujours plus hauts, la guidant dans un flux et reflux de vagues sensuelles qui les berçaient l'un et l'autre sur le même rythme. Dans cette fusion absolue, le paroxysme du plaisir les surprit en même temps. Ils explosèrent ensemble… Alors Matt chercha sa bouche, mêla son souffle au sien et l'étreignit éperdument.

Matt avait souvent rêvé de faire l'amour à Georgia, de la sentir frissonnante et vibrante sous ses caresses… Mais ses rêves semblaient bien ordinaires comparés à ce qu'il était en train de vivre. Elle se montrait audacieuse, joueuse… *Experte*. La réalité dépassait tout ce qu'il avait imaginé.

Le cœur battant, il l'enlaça tendrement, posant la tête

sur ses seins magnifiques. Bien que comblé, il avait encore envie d'elle. Il aurait toujours envie d'elle… Cette évidence l'émerveillait autant qu'elle l'émouvait. Voilà pourquoi il n'avait jamais recherché d'aventures à court terme, si peu satisfaisantes. Avec Georgia, son étreinte signifiait déjà autre chose. Ils avaient fait l'amour… avec amour. Impossible de se leurrer à ce sujet. L'intensité de ce qu'ils venaient de partager était claire.

Retrouvant son souffle, il prit appui sur un coude et la regarda. Les joues roses, les yeux brillants, la bouche encore gonflée de plaisir, elle était si belle… Et elle lui sourit si gentiment qu'il sentit son pouls s'accélérer, comme transpercé par une émotion pure.

— Ça va ? demanda-t-elle.

— Je suis au paradis.

Elle rit doucement.

— J'ai la tête qui tourne et les genoux qui flageolent, dit-il en riant à son tour.

— Oh ! là… C'est sûrement grave. Il faudrait peut-être que tu consultes un médecin.

— J'étudierai la question. Mais à mon avis, je connais déjà le traitement.

— Ah oui ?

— Te refaire l'amour maintenant.

Et il l'enlaça…

Et elle se blottit contre lui, répondant aussitôt à son désir.

12.

Georgia avait pressenti que Matt serait un amant merveilleux. Il était trop attentif et délicat au quotidien pour se montrer différent dans l'intimité. Non qu'elle ait une grande expérience des hommes… Elle n'avait connu que Phillip ! Néanmoins, son instinct ne l'avait pas trompée.

Mais, alors que les derniers frissons de plaisir se dissipaient en elle, des interrogations perturbantes surgirent à son esprit, troublant déjà la quiétude à laquelle elle aspirait.

Qu'attendrait Matt, à présent ? Comment se comporterait-il avec elle ? C'était un bel homme, un médecin réputé… Il devait plaire à de nombreuses femmes bien plus sophistiquées qu'elle. Des femmes qui, de plus, n'avaient pas un corps alourdi par la maternité — elle avait quand même porté trois enfants…

Plongée dans un demi-sommeil, elle regretta de ne pas avoir le ventre un peu plus plat, les hanches plus étroites et les cuisses plus fuselées. Il n'avait cependant pas semblé le remarquer… Son désir d'elle était si fort ! Mais par la suite, une fois l'extase retombée, il l'observerait différemment ; d'un œil critique. Et il remarquerait ses défauts.

Et peut-être ne lui plairait-elle plus ?

Mais là, il la tenait contre elle, chaud, aimant, rassurant…

Elle ferma les yeux et, blottie contre lui, elle s'endormit peu à peu, oubliant ses doutes… Encore heureuse.

Encore alanguie par la nuit d'amour qu'elle venait de

vivre, Georgia s'étira et se tourna sur le côté, tâtonnant les draps.

Le lit était vide.

Elle ouvrit brusquement les yeux.

Matt serait parti pendant qu'elle dormait ? Sans la prévenir ?

Elle jeta un coup d'œil sur l'oreiller, dessous, sur la table de chevet…

Non, aucun mot ; aucun message.

Il n'était plus là, voilà.

La déception l'envahit brutalement et, se redressant, elle refoula ses larmes. Qu'avait-elle espéré ?

Il était à peine 5 heures du matin, et les premières lueurs du jour filtraient à travers les rideaux. Elle se leva, inspira profondément et gagna la salle de bains. Après s'être aspergé le visage d'eau froide — mieux valait qu'elle se ressaisisse dès maintenant —, elle se dirigea vers la chambre de Pippa. La porte était entrouverte, ce qui l'étonna. Encore plus curieux, une lumière douce baignait la pièce.

S'avançant sur la pointe des pieds, elle se figea en découvrant le spectacle, le souffle coupé.

Assis dans le rocking-chair, Matt était en train de donner le biberon à Pippa !

Il avait passé son jean mais était resté torse nu. Sa petite fille était blottie contre lui, fragile, confiante… Visiblement, elle s'assoupissait.

La gorge nouée par l'émotion, Georgia avança dans la pièce.

— Quelle surprise…

— J'ai dû fouiller dans ton frigo pour trouver ce qu'il fallait, chuchota-t-il.

— Elle a réclamé ? Je ne l'ai même pas entendue !

— Elle n'a pas beaucoup pleuré.

— Tu aurais dû me réveiller…

— Tu avais besoin de récupérer. En plus, à cause de moi, tu n'as pas beaucoup dormi, dit-il en souriant.

Elle sentit son cœur battre précipitamment. Un étonnement profond et joyeux remplaçait déjà la déception et le sentiment de solitude qui l'avaient envahie quelques minutes auparavant.

— Toi non plus.

— Je n'avais pas sommeil. Au contraire, je me sens en pleine forme…

Elle garda le silence, bouleversée.

Tous ses repères s'effondraient… Et c'était merveilleusement déstabilisant.

Déjà, la veille, quand elle avait vu à quel point il s'occupait bien de Shane et Quinn, elle s'était dit qu'elle ne tarderait pas à tomber amoureuse de lui. Puis il y avait eu cette nuit d'amour…

Et maintenant, ce moment-là, empli de tendresse spontanée.

En un éclair, elle comprit qu'elle aimait déjà Matt. Et non seulement elle l'aimait, mais en plus, elle avait envie qu'il fasse partie de sa vie — et de celle de ses enfants. Pour toujours.

Sauf qu'elle ne croyait pas à ce « pour toujours ».

Les hommes ne restaient pas. Jamais.

Alors que cette pensée s'insinuait sournoisement à son esprit, elle se sentit devenir glacée jusqu'à la moelle.

Non, ils ne restaient jamais… Et les enfants en pâtissaient…

Tandis que Matt se levait pour remettre Pippa dans son berceau, Georgia se détourna et sortit rapidement de la chambre. Elle ne voulait pas qu'il la voie au bord des larmes. Mais, quelques secondes plus tard, il la rattrapa dans le couloir. Posant une main sur son épaule pour l'obliger à se retourner, il la regarda avec inquiétude.

— Qu'est-ce qui se passe ?

— Rien, mentit-elle. Je crois que je suis fatiguée… Juste fatiguée. Maintenant, tu devrais partir.

Il fronça légèrement les sourcils, l'air surpris.

— Partir ? Où ça ?

— Chez toi.

— Maintenant ?

— Oui.

— Et pourquoi ? demanda-t-il doucement.

Si doucement qu'elle eut envie de crier. Comment pouvait-il rester si calme alors qu'elle était envahie de doutes et de peurs inexprimables ?

— Parce qu'il est tard.

Il ébaucha un sourire désarmant.

— Personne ne m'attend.

— Et les chiots ? demanda-t-elle, soulagée de trouver une bonne raison. Tu ne dois pas les faire sortir ?

— Je l'ai déjà fait.

— Mais ils sont tout seuls !

— Ils vont très bien, et ils iront très bien, dit-il en l'attirant tendrement contre lui. J'aimerais juste comprendre pourquoi, soudain, tu as envie que je m'en aille…

— Peut-être parce qu'il ne faudrait pas qu'on soit trop… intimes, répondit-elle sans détour.

Le visage de Matt s'assombrit soudain.

— Trop intimes ? Tu me dis ça après ce qu'on vient de partager ?

— Dormir ensemble, c'est encore autre chose…

— C'est vrai. Tu sais, j'aimerais te garder dans mes bras jusqu'au matin, et pas qu'une seule fois, dit-il tout bas.

Elle avait rêvé de ces mots-là… Et il les lui disait ! Son cœur battit la chamade.

Mais… il n'était sûrement pas sincère.

Il dut lire en elle car il ajouta :

— Tu ne me crois pas.

— Si. Enfin, peut-être… Et c'est sans doute ça qui me fait tellement peur, dit-elle tout bas, presque pour elle-même.

Il resta silencieux quelques instants, l'observant avec gravité.

— Je pense que je te comprends. Tu as peur que je t'abandonne.

Comme elle ne répondait pas, il l'étreignit tendrement.

— Tu n'as pas confiance en moi ?

— Ce n'est pas si simple, dit-elle, murmurant, assaillie

par un mélange de gêne et de tristesse. J'ai vu tant d'hommes partager la vie de ma mère, puis partir…

— Et ton propre mari t'a aussi quittée, dit-il tristement. Pour toujours.

De nouveau, elle resta silencieuse.

— Donc tu te demandes pourquoi, avec moi, ce serait différent, dit-il.

— Oui.

Il hocha la tête, puis la regarda dans les yeux.

— Alors, je pars ou je reste ?

Elle soutint son regard. Par sa présence et par ses mots, il fissurait le doute qui logeait en elle. Ne venait-il pas de lui prouver qu'il la comprenait comme personne ne l'avait encore jamais fait ?

Le cœur battant, elle lui prit la main et entrelaça ses doigts aux siens.

— Reste.

Pour Georgia, prononcer ce simple mot avait été très dur, Matt le savait. «Reste »… Une réponse à une question ? Non, c'était bien plus que cela.

Pour elle, admettre qu'elle voulait qu'il reste, c'était comme lui offrir son cœur. Il était heureux qu'elle ait osé avouer ainsi ce qu'elle ressentait… Heureux et plus amoureux que jamais. Elle ne le savait pas, peut-être pas, mais il l'aimait déjà tellement…

Ils retournèrent dans la chambre et, une fois qu'ils se furent allongés, il la caressa avec tendresse, partout, l'embrassa doucement, délicatement, afin d'exprimer ainsi ce qu'il ne pouvait encore lui avouer. Elle n'était pas prête à entendre ces mots-là. Mais il saurait être patient. Il attendrait tout le temps nécessaire, oui… Il apprivoiserait les peurs qu'elle éprouvait, et peu à peu, elle saurait que l'avenir leur appartenait.

*
* *

Durant les jours suivants, chacun reprit sa vie habituelle, mais, peu à peu, un grand changement s'opéra : Matt dormit plus souvent chez Georgia, et elle l'accepta avec un plaisir évident… sans lui demander de repartir au petit matin. De plus, elle proposa que les chiots restent chez elle, dans la cuisine… Un autre signe d'ouverture ! Chaque soir, Finnigan et Fredick se lovaient dans leur panier, l'un contre l'autre, bien sagement, sous le regard attendri de Shane, Quinn et Pippa.

Matt ne s'était pas senti aussi heureux depuis une éternité. C'était étrange, parce qu'au fond il ne connaissait pas très bien Georgia. Il savait juste qu'il avait envie d'être auprès d'elle, de plus en plus, de partager des moments simples au quotidien…

Et de l'aimer.

Un soir, après qu'il lui eut raconté les exploits de Finnigan et de Fredick pendant que Luke leur faisait passer un examen vétérinaire avant de les vacciner, elle lui fit remarquer qu'il s'entendait bien avec ses frères, mais qu'elle ne l'avait encore jamais entendu parler du reste de sa famille.

— C'est vrai, répondit-il, la gorge serrée tout à coup.

Il ne lui avait toujours pas révélé le plus important… Bien que ce qu'il s'apprêtait à lui apprendre l'était tout autant. D'une autre manière. A un autre niveau.

— Mes parents sont morts il y a quelques années.

— Oh… Désolée si j'ai été indiscrète, dit-elle, visiblement sous le choc.

Ils s'étaient assis côte à côte sur le canapé et, comme il gardait un bras autour des épaules de Georgia, il la sentit se raidir.

— Non, ne t'inquiète pas. Ce n'est pas un secret et je me suis remis.

C'était vrai. Alors que pour son autre secret…

— Quand mon père a pris sa retraite, ils ont décidé de voyager dans le monde entier, dit-il. Ils sont allés voir la muraille de Chine, l'outback australien, la réserve du Serengeti… Ils ont passé de merveilleux moments. Puis ils ont eu envie de partir en voilier jusqu'au cap Horn. Ils ont embarqué à bord d'un bateau privé, très agréable, sous la houlette d'un équipage expérimenté… Mais il y a eu une tempête terrible, et le capitaine n'a pas su faire face. Le voilier a coulé, et tous sont morts noyés.

Elle fronça les sourcils.

— Ça a dû être affreux pour tes frères et toi.

— Oui. Au début, on a eu du mal, vraiment du mal, à accepter cet accident… Mais ensuite, qu'ils aient péri ensemble nous a en quelque sorte consolés. Après quarante ans de mariage, ils étaient plus qu'inséparables. A la vie, à la mort, comme on dit…

Après un silence, il ajouta :

— On a eu de la chance d'avoir des parents qui s'aimaient autant. Ils nous ont montré un bel exemple de couple stable et fidèle.

— J'imagine, oui…

Elle ébaucha un sourire pensif avant d'ajouter :

— Alors que, dans mon cas, j'ai eu le modèle d'une mère qui change régulièrement de partenaire alors qu'elle croit à l'amour et au « ils se marièrent et s'aimèrent pour la vie ». Pour elle, ça existe.

— Et elle a raison.

Il l'embrassa tendrement.

— Ça existe.

— Tu l'as vécu avec ta femme ?

Il l'observa, empli d'émotion mais aussi d'appréhension.

— Pourquoi tu veux savoir ça ?

— Je suis juste curieuse, répondit-elle sans détour. J'ai du mal à imaginer que tu te sois marié si tu ne croyais pas que ce serait pour toujours… Tu devais avoir un idéal, non ?

— Je l'ai encore.

— Pourtant, tu as divorcé.

— Oui. Et ça n'a pas été facile, dit-il, prêt à lui confier, enfin, l'entière vérité à propos de son ex-femme et de son mariage.

Mais à ce moment-là, les chiots se réveillèrent d'un

coup, et, aboyant en chœur, se précipitèrent vers la porte d'entrée. Matt se leva, prêt à aller voir, mais Georgia l'attrapa par la main.

— Attends…

Une voix féminine se faisait entendre au-dessus des aboiements. Stupéfait, Matt crut comprendre quelque chose comme « Et elle ne m'a même pas dit qu'elle avait des chiens ! »

— Quelqu'un est entré dans la maison ?

— Ce n'est pas « quelqu'un », répondit Georgia. C'est ma mère !

Georgia avait déjà affronté de nombreuses situations inattendues, mais là, c'était le summum. Que Charlotte Warring-Eckland-Tuff-Masterton-Kendrick-Branston débarque chez elle sans avoir prévenu auparavant, en pleine nuit, là, franchement !

Les chiots l'avaient entendue avant tout le monde. Dès que Georgia s'avança, ils lui firent la fête. Les ignorant, elle ouvrit la porte.

Sa mère se tenait sur le seuil, deux grosses valises posées à côté d'elle. Le taxi qui venait de la conduire s'éloignait déjà.

— Maman… Quelle surprise ! dit Georgia.

Charlotte l'embrassa et lui adressa un sourire un peu forcé.

— Justement, je voulais te surprendre, ma chérie. Tu veux transformer ta maison en chenil ?

— En chenil ?

Georgia ne put réprimer un éclat de rire.

— Ce sont les chiens d'un ami. Qui est là.

— Oh…

Charlotte arqua un sourcil.

— Je te dérange ? Désolée.

— Tu aurais dû m'appeler avant, c'est sûr. Mais maintenant que tu es là…

Charlotte poussa un soupir.

— Je suis là, oui. Primo, je me sens encore un peu chez moi, ici… Et secundo, j'avais très envie de voir mes petits enfants. Henry n'a pas hésité à m'offrir mon billet d'avion.

Georgia la contempla quelques secondes, troublée par un pressentiment familier. Il y avait certainement une autre raison à cette visite inopinée.

— Ne me dis pas que tu l'as déjà quitté ?

— Pardon ?

— Tu m'as très bien entendue. Ton nouveau mari… Où il est ?

D'un geste dramatique, Charlotte posa sur son cœur une main aux ongles parfaitement vernis.

— Dans son ranch, bien sûr. Il ne pouvait pas abandonner ses animaux uniquement parce que j'avais envie de retrouver mes petits-enfants et ma fille adorée.

— Vous êtes toujours ensemble ?

Charlotte soupira encore.

— Franchement, Georgia May, pourquoi es-tu si agressive ? On pourrait avoir cette conversation plus tard… Je suis épuisée.

— Bien sûr, dit Georgia, résignée. Entre.

Au même instant, elle entendit Pippa pleurer dans sa chambre.

— Elle est réveillée ! dit Charlotte. Je vais vite aller la câliner…

— Non, maman, tu la verras demain matin… Maman !

Mais Charlotte s'engouffra dans la maison et se dirigea d'autorité au premier étage. Agacée, Georgia lui emboîta le pas…

Et s'immobilisa en découvrant Matt dans le couloir. Il s'apprêtait à rentrer dans la chambre de Pippa.

— Matthew Garrett ! dit Charlotte, d'une voix surprise, mais approbatrice. Quel plaisir de vous rencontrer ici…

— Finalement, ça s'est plutôt bien passé, dit Matt après que Georgia eut nourri Pippa, et que Charlotte se fut installée dans la chambre d'amis au rez-de-chaussée.

Au début, Georgia avait hésité : ne devrait-elle pas

plutôt demander à Matt de partir ? Mais il lui avait pris la main pour l'emmener dans sa chambre, et elle s'était laissé faire… Ils avaient fermé la porte à clé, allumé uniquement la lampe de chevet et ils chuchotaient à présent comme deux adolescents craignant d'être surpris en flagrant délit.

— Qu'est-ce que je me suis sentie gênée…

— Parce que ta mère t'a adressé un signe de victoire en te souhaitant bonne nuit ? demanda-t-il d'un ton malicieux.

Elle se contenta de sourire. Elle se remettait à peine de sa stupeur : Charlotte connaissait Matt ! Ce qui, somme toute, était logique puisqu'elle avait vécu dans cette maison…

Elle s'allongea sur son lit et, les yeux mi-clos, s'étira, soulagée de pouvoir se détendre. Enfin.

— Ce serait presque ce qui m'inquiète le plus. Ma mère se trompe souvent en ce qui concerne les hommes.

— Tu dis ça parce que ses ex avaient des personnalités peu fiables, ou parce qu'aucune de ses relations n'a fonctionné ? demanda-t-il en s'étendant près d'elle.

Prenant appui sur un coude, il l'observa, guettant sa réponse.

— Pour moi, ça revient au même. Elle a mal choisi ses compagnons, c'est tout.

— Tu as le droit de penser ça… Mais le doute est permis, tu ne crois pas ? Peut-être que c'étaient des hommes bien. Auquel cas la succession d'échecs qu'elle a vécue aurait une autre cause.

Elle resta songeuse.

— Oui, peut-être. Je sais que ma mère ne cherche jamais à arranger les choses… Au moindre problème, au lieu de chercher une solution, elle s'en va.

— Elle fuit ?

— En quelque sorte.

— Donc elle ne s'engage pas réellement.

— Je me pose la question…

Croisant le regard de Matt, elle ajouta :

— D'ailleurs, à mon avis, si elle est ici, c'est parce qu'elle a quitté Henry, son nouveau mari ! Et, comme elle l'a fait avec les autres, elle essaiera de se persuader que si ça n'a pas marché entre eux, c'est sa faute à lui.

— C'est comme cela qu'elle réagit ?

— Souvent, oui.

Il esquissa une moue dubitative.

— Mais peut-être que je me trompe, dit-elle. Honnêtement, je l'espère. Sinon, là, à cet instant, si elle s'est séparée, elle doit être très triste mais elle ne me l'a pas montré. Elle sauve les apparences…

Il l'observa quelques secondes, l'air pensif.

— Comme toi.

— Comme moi ?

Il ébaucha un sourire.

— Disons que tu ne t'ouvres pas facilement… Quand on ne te connaît pas, on a l'impression que tu es distante, presque indifférente… Mais dès qu'on sait qui tu es, on s'aperçoit à quel point tu es sensible et…

Il se pencha pour l'embrasser.

— … douce.

Le cœur battant, elle ferma les yeux et se blottit contre lui.

— Merci…

Elle lui tendit ses lèvres et accueillit son baiser en se serrant contre lui, fort, très fort.

13.

Le lendemain matin, Matt se rendit de bonne heure à l'hôpital, et Georgia se retrouva avec sa mère… qui, évidemment, la bombarda de questions. Depuis combien de temps sortait-elle avec Matthew ? Ah, c'était un très bel homme… et un bon parti ! Etaient-ils amoureux ? Matt s'entendait-il bien avec ses enfants ? Etait-ce sérieux, entre eux ?

Tout en préparant des œufs brouillés, Georgia réprima un soupir.

Shane et Quinn dormaient encore. Elle venait de donner le biberon à Pippa, qui avait bu avec appétit, et l'avait installée dans son transat d'où la petite fille les regardait avec de grands yeux brillants.

— Je ne peux encore rien te dire, maman. Mais dis-moi, si j'ai bien compris, tu as connu Matt quand tu vivais ici ?

— En effet, dit Charlotte en disposant des assiettes sur la table.

— Pourtant, il n'habitait pas le quartier ?

— Non, mais j'ai connu ses frères, et j'ai entendu parler de lui. Matt et Luke avaient une meilleure réputation que Jack. C'est un bon médecin, je crois.

— Je pense, oui. En tout cas, c'est lui qui a plâtré le bras de Shane, et ça s'est parfaitement bien passé.

Charlotte sourit d'un air satisfait.

— Intelligent, efficace, bien élevé, séduisant… C'est

presque trop pour un seul homme. Si, en plus, c'est un bon amant…

— Maman ! s'exclama Georgia, indignée.

— Quoi, tu es choquée ? demanda sa mère.

— Non, mais… Tu es sans gêne.

— Je suis ta mère. Je peux tout te dire, tu ne crois pas ? Sans tabou. D'ailleurs, à ce sujet, permets-moi de t'avouer qu'en ce qui concerne Phillip, j'ai eu quelques doutes.

— Quels doutes ?

— Sur le point que nous mentionnions, ma chérie. Phillip a sûrement été un bon époux. Attentionné, gentil… Mais était-il un bon… mari ?

— Pourquoi me poses-tu cette question ?

— Parce que je ne l'ai jamais vu te regarder comme Matt te regarde… Et vice versa.

Georgia garda le silence. Elle détestait se l'avouer, mais sa mère avait raison. Phillip et elle s'étaient parfaitement accordés à de nombreux niveaux, mais, entre eux, les relations étaient restées… plates ; tranquilles. Alors qu'avec Matt, c'était bouillonnant, passionné, vibrant…

Envoûtant.

Pourtant, l'admettre lui semblait impossible. Ç'aurait été comme trahir Phillip.

— J'aimais mon mari.

— Je le sais, ma chérie. Mais aujourd'hui, est-ce que tu aimes Matt ?

Tout en parlant, Charlotte se leva pour servir les œufs préparés par Georgia. Elle disposa les couverts et invita sa fille à s'asseoir.

— Mmm… Je meurs de faim.

— Moi aussi, dit Georgia en prenant place.

Elles mangèrent en silence quelques instants, puis Charlotte reprit :

— Alors ? Tu l'aimes ?

— Je ne sais pas. Je ne le connais pas depuis longtemps.

— Il ne m'a fallu que quelques jours pour savoir ce que

je ressentais pour Henry, et être certaine de vouloir passer le restant de mes jours avec lui.

Pourtant, là, elle était à Pinehurst, et son mari dans le Montana. Néanmoins, par délicatesse, Georgia s'abstint de tout commentaire.

— Je suis bien avec Matt, très bien même… Mais je ne suis pas prête à m'engager.

Sa mère la contempla quelques secondes, l'air un peu déçue.

— Je comprends. Mais n'attends pas trop longtemps. Matthew doit plaire à beaucoup de femmes, si tu ne te décides pas, une autre mettra la main sur lui.

— S'il se laisse séduire aussi facilement, c'est qu'il n'est pas fait pour moi ! répondit Georgia.

Charlotte laissa échapper un petit soupir, elle ne pouvait pas réfuter la logique de sa fille.

— M'man ! appela Shane depuis le salon.

— Maman ! fit Quinn à son tour.

Georgia rejoignit ses fils qui s'étaient levés tout seuls.

— Coucou, mes amours…

Elle les embrassa à tour de rôle, puis ajouta en les serrant dans ses bras :

— Il y a une surprise dans la cuisine…

— Quelle surprise ? demandèrent-ils en chœur.

— Grand-mère est là !

— Mamie ? Ouiiiiiiiii ! s'exclamèrent-ils à l'unisson.

Mais au même instant, on sonna à la porte d'entrée. Etonnée — qui pouvait venir à cette heure ? —, elle alla ouvrir.

Sur le seuil se tenait un homme grand, aux épaules larges, coiffé d'un Stetson comme les cow-boys. Il l'ôta poliment, découvrant une épaisse chevelure poivre et sel.

— Désolé de vous déranger, mademoiselle. Je suis Henry Branston. Je viens chercher ma femme.

— Pardon ? s'écria Charlotte aussitôt. Henry, que fais-tu ici ?

— Je viens te chercher. Tu me manques, dit Henry sans détour. Je veux que tu reviennes.

Charlotte le toisa d'un regard sévère.

— Tu *veux* que je revienne ? Mais je ne suis pas à tes ordres, que je sache.

— Charlotte, mon amour, je…

— Mamie ? C'est qui, lui ? demanda Shane, interrompant Henry.

Charlotte le regarda et ébaucha un sourire un peu gêné.

— Oh ! mon cœur, ce monsieur est, en quelque sorte, ton grand-père… Ton nouveau grand-père, dit-elle en jetant un bref coup d'œil à Georgia.

— C'est le nouveau mari de votre grand-mère, dit Georgia. Ecoutez, mes chéris, on va aller prendre le petit déjeuner dehors, OK ?

— Dehors ? Dans le jardin ? demanda Quinn.

— Non, dans un salon de thé… Là où on a mangé des glaces, dit Georgia, improvisant. Ils ont sûrement de délicieux chocolats chauds et des croissants !

Fuir… Ne pas être témoin de la scène sûrement très gênante qui s'annonçait… Protéger ses enfants, aussi, car elle ne voulait pas, surtout pas, qu'ils assistent à l'altercation entre Charlotte et Henry… La dispute commençait déjà. Charlotte levait la voix, exaspérée. Henry s'efforçait de la calmer…

Et soudain, de très mauvais souvenirs affluèrent à la mémoire de Georgia. Toutes les séparations que sa mère avait induites ou provoquées. Tous les conflits, les malentendus… Tout ce qui faisait que, finalement, aujourd'hui, elle-même avait tant de mal à croire à l'amour et au couple.

Les larmes aux yeux, elle habilla ses enfants à la hâte et quitta la maison.

14.

Rien n'était réglé.

Quand Georgia revint deux heures plus tard, sa mère et son beau-père, qu'elle ne connaissait donc pas le moins du monde, discutaient encore d'un ton vif.

Elle était partie avec ses enfants pour leur laisser le champ libre et qu'ils puissent se réconcilier…

Mais ce n'était pas fait.

D'après les bribes de conversation qui lui parvenaient, sa mère en voulait à Henry de l'avoir invitée à vivre dans son ranch sans avoir réfléchi aux aménagements nécessaires que cela impliquerait. De plus, après leur mariage, il ne s'était pas rendu suffisamment disponible… Et Charlotte en avait eu assez.

Le comble ? Henry, qui était venu en voiture, semblait décidé à rester sur place jusqu'à ce que Charlotte ait changé d'avis et soit prête à repartir avec lui !

Georgia resta discrètement dans le salon avec ses enfants, refusant de se mêler de leur discussion. Une odeur de café et de pain grillé imprégnait l'atmosphère : alors qu'il était 2 heures de l'après-midi, Charlotte avait préparé un énième petit déjeuner. Typique.

Lorsque Matt revint de l'hôpital cet après-midi-là, il enlaça tendrement Georgia et lui chuchota à l'oreille :

— Tu veux venir à la maison jusqu'à ce que la situation s'arrange ?

Georgia esquissa une moue.

— Si ça s'arrange entre eux !

Hélas, elle n'avait pas parlé à voix basse… Et Charlotte l'entendit.

— Bien sûr que ça va s'arranger ! dit-elle en les rejoignant. Bonjour, Matthew, vous allez bien ?

Il lui sourit poliment.

— Très bien, je vous remercie. Et vous ?

— Impeccablement. Je suis au paradis, ici, avec mes petits-enfants. D'ailleurs, si vous voulez emmener ma fille au restaurant ou au cinéma ce soir, je peux les garder, profitez-en ! dit-elle d'un ton enjoué.

A ce moment-là, Henry émergea de la cuisine et s'approcha, l'air un peu gêné.

— Bonjour…

— Ah, voici Henry, mon mari, dit Charlotte à l'attention de Matt. Henry, je te présente Matthew Garrett, un bon ami de Georgia.

« Un bon ami »… Georgia jeta un bref coup d'œil à Matt. Comment interpréterait-il ce qualificatif ?

— On est également voisins, dit Matt en serrant la main à Henry.

Puis il se tourna vers Georgia :

— Un restaurant sans menu « spécial enfant », et un film qui ne serait pas un dessin animé, ce serait pas mal, non ?

Elle hocha la tête, indécise. A vrai dire, elle avait plutôt envie de tranquillité… Tout en préférant ne pas être trop éloignée de ses enfants. Non qu'elle ne fasse pas confiance à sa mère… Mais, compte tenu de la situation avec Henry, Charlotte ne serait peut-être pas aussi attentive qu'elle devrait l'être.

— On pourrait aussi passer une soirée en amoureux ? Chez toi ? lui chuchota-t-elle à l'oreille, esquivant le coup d'œil malicieusement approbateur que lui lançait sa mère.

Un léger sourire se dessina sur les lèvres de Matt.

— Comme tu veux.

— Maman, tu es sûre que tu as envie de t'occuper de Shane, Quinn et Pippa ? demanda Georgia.

— Evidemment, ma chérie, sinon je ne te le proposerais pas. Et Henry est là pour m'aider, n'est-ce pas ?

Charlotte regarda son mari, qui gardait les yeux dans le vague.

— Henry, ça ne t'ennuie pas qu'on garde nos petits-enfants ce soir ?

Nos petits enfants. Ce petit mot donna une bouffée d'espoir à Georgia. Entre Charlotte et son nouvel époux, ce n'était pas encore terminé… Au contraire, peut-être même cela ne faisait-il que commencer !

Tout comme pour Matt et elle…

Georgia et Matt dînèrent dans le salon, à la lueur de bougies, en écoutant une musique douce, du piano. Il sentait que Georgia avait besoin de se détendre… C'est pourquoi il avait opté pour la simplicité : pizzas, jus de raisin pétillant dans des flûtes de champagne — Georgia allaitant encore parfois, il n'était pas question qu'elle boive de l'alcool —, et glaces. Mais elle refusa le dessert.

— J'ai très bien mangé… Et, encore une fois grâce à toi, je souffle !

Il lui sourit.

— Tant mieux. J'imagine à quel point ta mère t'a perturbée…

— Trop.

Ils s'assirent sur le canapé et elle posa la tête contre l'épaule de Matt.

— Finalement, je crois que ça va s'arranger entre eux. Henry aime ma mère. Il la regarde vraiment avec amour.

— A quoi tu vois ça ?

Elle laissa échapper un petit rire.

— A l'étincelle qui pétille dans son regard… Il est quand même venu du Montana pour lui demander de repartir avec lui. C'est une belle preuve d'amour, tu ne crois pas ?

En guise de réponse, il la serra contre lui. Plus le temps

passait, plus il était certain de l'aimer comme il n'avait jamais aimé aucune femme. Mais le lui avait-il *prouvé* ?

— Si j'ai bien compris, ta mère et ton beau-père se sont mariés très peu de temps après s'être rencontrés, c'est ça ?

— Oui.

— Encore une preuve d'amour…

— C'est sûr.

Un silence s'établit quelques secondes. Matt avait l'impression d'entendre les battements de son propre cœur.

— Et si je faisais comme Henry ?

Elle tourna la tête vers lui, perplexe.

— C'est-à-dire ?

Il hésita, cherchant les mots justes. Il aurait bientôt trente-huit ans, mais, à cet instant, il se sentait aussi maladroit qu'un adolescent.

Jouant le tout pour le tout, il glissa une main dans sa poche et s'empara de la petite boîte qui contenait la bague. Celle qu'il avait achetée en sortant de l'hôpital, à la bijouterie Diamond Jubilee. Il la posa sur la table, devant Georgia, et ajouta doucement :

— Georgia, j'aimerais qu'entre toi et moi, ça dure très longtemps…

Georgia sentit son souffle se bloquer.

La boîte portait le logo d'une grande bijouterie… Matt ne l'avait pas ouverte, mais l'effet était le même. Peu lui importait ce que l'écrin contenait. C'était le geste de Matt qui comptait.

— Pourquoi ? murmura-t-elle.

— Je veux que tu saches que, pour moi, ce qui se passe entre nous n'est pas ordinaire.

Elle sentit une boule se loger dans sa gorge. Pour elle non plus, ce n'était pas ordinaire. Mais même si ce qu'il essayait de lui dire la comblait au plus profond d'elle-même, elle ne pouvait pas… Non, pas si vite…

Croisant son regard, elle y perçut autant d'intensité que d'impatience ; une certaine anxiété également.

— Je suis très touchée. Mais, s'il te plaît, laisse-moi un peu de temps.

— Tu n'as pas confiance en moi ? Tu n'éprouves rien pour moi ?

Elle le dévisagea, confuse et emplie d'une émotion inconnue.

— Si… Non… Je ne sais pas, balbutia-t-elle. Je suis bien avec toi, très bien, je te trouve… adorable. Vraiment. Mais…

— Mais je suis trop pressé, c'est tout, dit-il d'un ton un peu ironique. Excuse-moi.

— Surtout ne te vexe pas. Je voudrais aussi continuer avec toi… aussi longtemps que possible.

Elle n'avait pas pu dire *le plus* longtemps possible. Il lui sourit et, lui prenant la main, l'invita à se lever.

— A défaut de savoir de quoi sera fait demain, profitons du présent !

— Très bonne idée…

Mais tandis qu'ils se dirigeaient vers la chambre de Matt, elle ressentait une étrange nervosité. « J'aimerais qu'entre toi et moi, ça dure très longtemps… » Les paroles de Matt ne cessaient de résonner à son esprit.

Elle aurait pu lui dire la même chose… Elle ressentait la même envie, au plus profond d'elle-même.

Quelques instants plus tard, alors qu'avec délicatesse, il la déshabillait, l'embrassant partout au fur et à mesure, elle eut soudain un frisson si fort qu'il s'en aperçut.

— Mais tu trembles ? Pourquoi ?

Elle se blottit contre lui, le cœur battant.

— Parce que je tiens à toi.

— Autant que je tiens à toi ?

— Peut-être…

— Peut-être ?

Il l'obligea à le regarder dans les yeux.

— Non, je suis sûre, dit-elle, bouleversée. Mais j'ai peur de tout gâcher.

— Je t'en empêcherai.

Il s'empara de ses lèvres et l'embrassa tendrement, profondément.

— Parce que je t'aime, chuchota-t-il à son oreille.

« Je t'aime… »

Elle n'aurait su dire si ce fut son baiser ou ces mots, mais tout à coup, elle éprouva un relâchement total… Comme une libération. Elle glissa ses doigts sous la chemise de Matt, et le caressa avec passion.

— Montre-le moi.

Ce qu'il fit. Avec ses lèvres, ses caresses, son corps, il lui exprima ses sentiments. Jamais elle ne s'était sentie aussi choyée. Il lui donna encore et encore jusqu'à ce qu'elle soit comblée et le réclame en elle, au plus profond d'elle-même… Et lorsque leurs corps s'unirent enfin, elle sut que leurs cœurs et leurs âmes s'entremêlaient également.

Plus tard, la tête posée contre le torse de Matt, le cœur battant encore précipitamment, Georgia prit conscience de la plénitude qu'ils partageaient en silence. Une plénitude qui ne provenait pas seulement du plaisir merveilleux qu'ils venaient de vivre… Non, c'était parce qu'ils étaient ensemble.

C'était parce qu'elle ne voulait être nulle part ailleurs que dans ses bras.

La vérité était limpide… Comme ses sentiments pour lui.

— Dis-moi, dans la boîte, il y a vraiment une bague ?

Il rit.

— Bien sûr. Tu veux la voir ?

— Plutôt la porter… à condition que tu me demandes officiellement en mariage ! dit-elle en riant à son tour.

A l'époque de Phillip, elle ne s'était pas formalisée qu'il ne lui fasse pas de vraie demande. Mais avec Matt, elle voulait que tout soit vraiment différent.

Il l'observa d'un air amusé.

— Officiellement. Ça signifie qu'il faut que je m'habille ?

— Non… Juste que tu prononces les mots.

Il attrapa son pantalon par terre, et saisit la boîte qu'il avait laissée dans la poche. Il voulut l'ouvrir, sans succès.

— C'est moi qui suis nerveux, maintenant !

— Est-ce que ça t'aiderait si je te disais que je te répondrais probablement oui ?

— *Probablement ?* Ce n'est pas très rassurant.

— Je ne peux rien te dire de plus tant que tu ne m'auras pas posé la question !

Il l'observa d'un air amusé.

— Je n'avais pas prévu de te faire ma demande de cette manière. Je voulais prendre le temps de réfléchir à ce que je veux te dire… Comme, par exemple, que tu représentes beaucoup, pour moi, et que tu me rends heureux.

Elle sourit.

— Mais encore ?

— Je serai encore plus heureux si tu deviens ma femme.

Après un court silence, il ajouta avec gravité :

— Je ne veux pas seulement être ton mari… Je veux aussi t'accompagner dans ta vie de tous les jours. Je veux partager tes espoirs, tes rêves, t'aider à élever tes enfants, être auprès de toi quand tu es joyeuse comme lorsque tu es triste. Je veux partager chaque instant de ta vie, et c'est pour cela, Georgia, que je te demande de m'épouser.

La gorge nouée par l'émotion, elle laissa échapper un soupir.

— Je ne trouve pas les mots…

— Je n'en attends qu'un seul.

— Oui.

Elle se serra contre lui et l'embrassa sur la bouche, répétant doucement :

— Oui, Matthew Garrett, je veux t'épouser.

— Et tu n'as même pas regardé la bague, dit-il, riant.

Elle baissa le regard et découvrit le bijou qu'il tenait dans le creux de ses mains : un anneau d'or serti de magnifiques diamants.

— Que c'est beau… Mais le plus beau, pour moi, c'est notre amour…

Et elle l'embrassa, espérant que l'appréhension qu'elle continuait à ressentir au plus profond d'elle-même disparaîtrait.

15.

Georgia espérait garder le secret de ses fiançailles pendant quelque temps encore, au moins jusqu'à ce qu'elle se soit habituée…

Mais sa mère ne lui en laissa pas la possibilité. Dès que Georgia franchit le seuil de la cuisine le lendemain matin, Charlotte remarqua la bague.

— Ah, enfin ! s'exclama-t-elle. Qu'elle est belle… Mais dans ce cas, ma chérie, puisque ce bijou exprime tout l'amour que Matthew te porte, pourquoi cette lueur d'inquiétude au fond de tes yeux ?

Décidément, rien ne lui échappait.

— Je suis un peu nerveuse à l'idée de me marier, c'est tout, répondit Georgia.

— Ce n'est pourtant pas ta première fois !

— Tout était très différent avec Phillip. Je me sentais sûre de moi.

— Et là, tu te sens vulnérable, devina sa mère.

Georgia acquiesça.

— Lorsqu'on ouvre son cœur et qu'on aime, on est plus fragile. Mais cela en vaut tellement la peine, dit Charlotte.

— Je sais, maman. Pour Phillip, j'ai éprouvé un amour, comment dire, tranquille, presque confortable. Ce que je ressens aujourd'hui est bien plus fort, plus intense…

— Donc plus effrayant. C'est un peu comme les montagnes russes : on aime mais on a affreusement peur. Quand tu étais petite, tu adorais ça.

— Indy adorait ça. Moi, j'ai toujours détesté les montagnes russes.

Charlotte rit.

— C'est vrai, je m'en souviens, maintenant. Tu hurlais chaque fois que ta sœur te persuadait de monter dans le manège.

— Elle ne me persuadait pas, elle me faisait du chantage ! En général, Indy lui offrait une portion de la barbe à papa ou des pop-corn que Charlotte leur avait achetés. Georgia dévorait le tout… Mais ensuite, elle était malade !

Soudain, elle eut la sensation de commettre le même genre d'erreur. Epouser Matt l'enthousiasmait et la terrifiait. Jamais elle n'avait autant aimé un homme… Ce qui impliquait qu'aucun homme n'avait autant eu le pouvoir de lui briser le cœur. Même si elle avait confiance en lui, même s'il lui avait affirmé vouloir être son mari autant que son compagnon, pour le meilleur et pour le pire, elle craignait…

Que seul le pire n'existe.

— Quand le mariage aura-t-il lieu ? demanda Charlotte.

— Je ne sais pas encore, murmura Georgia, encore plongée dans ses pensées. On vient seulement de se fiancer.

— Mais vous ne tarderez pas, tous les deux, n'est-ce pas ? Je m'en réjouis tant… Et si on allait te chercher ta robe ?

— Déjà ?

— Comment ça « déjà » ?

Après un silence, Charlotte ajouta :

— Pour être franche, ma chérie, je serais si heureuse que tu te maries avant que je reparte dans le Montana.

— Vous vous êtes réconciliés ? demanda Georgia avec gaieté, oubliant ses propres interrogations.

— Il faut croire…

— Et vous repartiriez quand ?

— Dans quinze jours. Henry a envie de mieux connaître Shane, Quinn et Pippa. Enfin, si ça ne t'ennuie pas trop de nous accueillir tous les deux…

— Vous êtes les grands-parents de mes enfants, maman… Vous êtes les bienvenus !

Et, spontanément, elle embrassa sa mère.

— Mais ce n'est pas pour ça que je me marierai d'ici quinze jours. Avec tout ce qu'il y a à organiser…

— Tu n'as pas besoin d'organiser quoi que ce soit, répondit Charlotte, les yeux brillants. Il suffit que Matt et toi, vous vous envoliez pour Las Vegas et…

— Non, maman.

Sa mère l'observa avec étonnement.

— Pourquoi pas ? Je l'ai bien fait, moi !

— Ce n'est pas une raison. Je voudrais célébrer mon mariage dans une vraie chapelle, tu comprends ? Pas un décor… Désolée de te vexer, maman.

Charlotte haussa les épaules d'un air détaché.

— Tu ne me vexes pas, ma chérie. Au fond, je te comprends. C'est juste que je n'ai pas les mêmes exigences. Ce qui m'importe, c'est d'être heureuse, de vivre à fond, sans me poser trop de questions… Alors que j'ai l'impression que, toi, tu te compliques la vie.

Cette fois, Georgia sentit une bouffée de colère l'envahir.

— Je me complique la vie ?

— Tes enfants ont besoin d'un père au plus vite, tu ne crois pas ? Surtout Shane et Quinn, qui iront à l'école en septembre.

— N'utilise pas mes enfants pour essayer de me manipuler !

— Comment peux-tu imaginer une chose pareille ? Je te dis ce que j'ai sur le cœur, c'est tout.

Elle se versa une tasse de café et ajouta :

— Si on leur demandait de faire un dessin qui représente leur famille, ils mettraient un papa au milieu, j'en suis persuadée.

Georgia sentit sa gorge se nouer. Charlotte venait d'énoncer le seul argument qui, à coup sûr, ébranlerait sa détermination à ne pas précipiter les choses.

*
* *

Matt fut surpris quand Georgia proposa qu'ils se marient dans les deux semaines suivantes. Mais il ne s'y opposa pas, au contraire…

Elle avait souhaité contacter le pasteur qui célébrerait la cérémonie, un ami de la famille, et il lui avait dit de faire exactement comme elle le désirait. Ce mariage devait la combler… Et si elle était heureuse, il le serait aussi.

A présent, accompagnée de Charlotte, elle courait les boutiques pour dénicher la robe de mariée de ses rêves.

De son côté, secondé par ses frères, Matt aménagea rapidement les chambres du haut afin d'accueillir les enfants de Georgia… qui seraient aussi bientôt les siens. A cette pensée, une joie extraordinaire l'emplissait, cicatrisant peu à peu ses blessures. Certes, il n'avait pas toujours pas révélé son secret à Georgia… La seule fois où il s'était senti prêt, il avait été interrompu par l'arrivée de sa future belle-mère. Mais très vite, il lui parlerait.

Il n'avait plus qu'à espérer qu'elle ne lui en voudrait pas d'avoir attendu si longtemps.

A sa demande, Shane et Quinn choisirent la décoration de leurs chambres : ils optèrent pour une frise « activités sportives » et une peinture verte. La pièce étant restée vide pendant longtemps, Matt commanda des meubles : des lits superposés, des armoires, des bureaux… Georgia voulut du rose pâle pour la chambre de Pippa, et elle acheta des rideaux en dentelle — rien de plus car elle manquait de temps.

Jour après jour, tous deux furent tellement occupés qu'ils n'eurent que de rares moments ensemble. Lorsqu'ils pouvaient se retrouver, ils faisaient l'amour… et s'endormaient rapidement, blottis l'un contre l'autre.

Une semaine s'écoula encore. La date du mariage approchait, et Matt n'avait toujours pas trouvé les mots pour confier son plus douloureux secret à Georgia. Il finit par redouter le moment où il lui parlerait…

Et s'avoua que, malgré tout, le temps n'avait pas totalement gommé sa souffrance.

Un samedi, alors qu'il achevait de coller la frise dans la future chambre de Shane et Quinn, il se rendit compte qu'il avait oublié son cutter. Georgia était là, et il lui demanda d'aller le lui chercher dans le tiroir du haut de son bureau.

Ce ne fut que lorsqu'elle eut commencé à descendre l'escalier qu'il se rappela. Dans ce même tiroir, il y avait une photo… Elle allait tout découvrir…

Paniqué, il se précipita dans l'escalier, espérant arriver avant elle.

Trop tard…

Lorsqu'il rejoignit Georgia, elle tenait le cutter dans une main, et, de l'autre, une photographie en couleur. De l'endroit où il se trouvait, il ne pouvait pas voir le cliché, mais ce qu'elle représentait demeurerait gravé en lui jusqu'à la fin de sa vie. Un petit garçon de six ans aux cheveux et aux yeux noirs, affichant un grand sourire. Le cliché avait été pris lors de son entrée à l'école élémentaire.

Georgia le contemplait avec stupeur.

— Georgia…

Elle leva le visage vers lui, et il lut le doute et la confusion dans son regard.

— Qui est-ce ?

— Liam…

La voix de Matt se brisa.

— … mon fils.

16.

Abasourdie, Georgia le dévisagea en silence. Elle n'avait pas dû bien entendre.

« Mon fils » ?

C'était impossible. Il le lui aurait dit.

— Mais je l'ai perdu, dit aussitôt Matt d'une voix sourde.

— Tu l'as perdu ?

Elle s'assit sur une chaise. Cette révélation lui faisait l'effet d'une douche d'eau glacée.

— Comment ça « perdu » ?

— On me l'a enlevé. Sa mère me l'a enlevé il y a trois ans, quand on a divorcé.

Elle regarda de nouveau la photo. Le petit garçon du cliché avait plus de trois ans.

— Ton ex-femme ?

— Lindsay, oui. Je l'ai épousée parce qu'elle était enceinte. Et parce qu'elle m'avait dit que j'étais le père du bébé. Mais c'était faux.

Il était pâle, et chaque mot lui coûtait, c'était évident.

Peu à peu, un mélange de stupeur, de tristesse et de colère envahit Georgia.

— Comment tu l'as appris ?

— Le vrai père de Liam était soldat, et il avait été envoyé en Irak. Lorsqu'il est revenu, il a cherché Lindsay… Et il a découvert qu'elle s'était mariée moins de deux mois après son départ en Irak.

— Avec toi.

— Avec moi.

— Il savait qu'elle était enceinte ?

— Non. Quand il a été envoyé en Irak, Lindsay ignorait encore sa grossesse. Ensuite, elle a eu peur que son petit ami ne revienne pas vivant… Et elle a décidé de trouver un autre père pour son bébé.

Elle était sans voix. En tant que mère, elle comprenait qu'on puisse être prête à tout pour le bien de ses enfants. Mais de là à être aussi froidement calculatrice… Non, cela dépassait l'entendement.

— J'étais l'homme idéal, dit-il d'un ton sarcastique. Elle me connaissait depuis des années puisque j'étais ami avec Kelsey. On était même sortis ensemble deux ou trois fois, lorsqu'on était au lycée, mais ça n'avait jamais été plus loin que quelques baisers. Par la suite, elle est partie vivre en Californie.

Il se mit à arpenter la pièce tout en poursuivant son récit :

— Un jour, après plusieurs années, elle est revenue me voir… Elle m'a dit qu'elle n'avait pas cessé de penser à moi, que j'étais l'homme de sa vie… Bref, des tas de choses gentilles et flatteuses. Elle était magnifique, déterminée… Je me suis bêtement laissé séduire.

— Elle savait qu'elle parviendrait à ses fins, murmura Georgia, choquée et attristée qu'un homme aussi généreux que lui soit tombé dans ce piège grossier.

— Bien sûr. Je n'ai même pas hésité. Je n'étais pas amoureux d'elle, mais j'aimais déjà le bébé qui est vite, très vite arrivé… Et pour cause ! Mais j'ai cru que j'étais le père. Sauf que, trois ans plus tard, Lindsay m'a annoncé que ce n'était pas vrai, et qu'elle voulait divorcer. Elle avait décidé de retourner en Californie où Liam pourrait retrouver son père biologique.

Après un court silence, il reprit :

— J'ai cru qu'elle me mentait. Je l'ai assignée en justice. Mon frère Jack m'a assuré que, même si je n'étais pas le père biologique de Liam, le tribunal jugerait sévèrement le mensonge de Lindsay, et que, quoi qu'il arrive, les intérêts et le bien-être de l'enfant seraient préservés. J'étais prêt à me battre pour mon droit de garde…

— Qu'est-ce qui t'a fait changer d'avis ? demanda-t-elle, tout en anticipant déjà la réponse.

— Les voir tous les trois ensemble. J'ai tout de suite senti que Lindsay et Jarrod s'aimaient vraiment. Bien plus que Lindsay et moi. Et quand il a posé les yeux sur Liam…

Il s'éclaircit la voix avant de poursuivre :

— C'était son fils qu'il regardait. Je ne pouvais pas leur ôter le droit de former une famille. Même si cela me brisait le cœur.

— Et tu le ne le revois plus ?

— Plus depuis qu'ils sont partis s'installer en Californie. Lindsay m'envoie une carte et une photo de temps en temps, mais Liam ne se souvient pas de moi.

Elle pensa à Shane et Quinn qui, peu à peu, perdaient tout souvenir lié à leur père. Ils n'oublieraient jamais Phillip — elle y veillerait —, mais ce qu'ils garderaient à la mémoire deviendrait de plus en plus flou.

Regardant de nouveau la photo, elle éprouva de la peine pour cet enfant pris en otage dans le jeu de sa mère, ballotté d'une maison à une autre, d'un père à un autre. Quant à Matt, il avait bel et bien perdu son fils. Son ex-femme le lui avait froidement enlevé. Puis Matt avait emménagé près de la maison où vivaient une femme et ses trois enfants orphelins de père… Quelle ironie du destin !

— Cette photo est récente, dit-elle.

— Elle date de quelques semaines, dit Matt. Je sais que j'aurais dû t'en parler avant. Je suis vraiment désolé, Georgia…

Elle le regarda, perplexe. Quelles raisons l'en avaient empêché ? En même temps, elle comprenait mieux qu'il se soit montré aussi à l'aise avec ses propres enfants. C'était son expérience et sa fibre paternelle qui ressortaient naturellement.

« Je n'étais pas amoureux d'elle mais j'aimais déjà le bébé… »

Les paroles de Matt résonnèrent soudain à son esprit. Mal à l'aise, elle posa la photo sur le bureau, et se leva lentement. Malgré elle, un doute insupportable l'envahissait.

— Dis quelque chose, Georgia. S'il te plaît, murmura Matt.

Elle chercha vainement les mots pour décrire le tourbillon d'émotions contradictoires qui l'envahissait.

— Effectivement, Matt, tu aurais dû me parler avant.

Elle lui tendit le cutter et sortit de la pièce.

De retour chez elle, Georgia trouva ses fils en train d'écouter une histoire que sa mère et Henry leur racontaient à tour de rôle. Ils avaient déjà commencé à appeler Henry « papy »… Et c'était merveilleux.

Charlotte et Henry étaient tout à fait heureux de continuer à garder ses enfants. Dans son transat, Pippa les observait d'un air rieur. Georgia décida de repartir faire des courses.

Mais, une fois en ville, elle se rendit compte qu'elle n'avait pas besoin de quoi que ce fût.

Elle avait besoin de parler avec quelqu'un.

Elle avait besoin de se confier, sans rien cacher de ses craintes et appréhensions, et de comprendre en quoi ce que Matt lui avait révélé importait pour leur avenir.

Mais à qui ? Elle ne connaissait pas grand monde à Pinehurst…

« Elle me connaissait depuis des années puisque j'étais ami avec Kelsey. »

Kelsey, oui, bien sûr… Elle était sans doute la seule personne à même de lui donner les réponses dont elle avait désespérément besoin.

Elle descendit Main Street, passa devant un fleuriste, un magasin de sport, et se dirigea vers l'agence de voyages où Kelsey travaillait.

Dès qu'elle l'aperçut, celle-ci sortit du magasin et s'avança vers elle, le sourire aux lèvres.

— Bonjour, Georgia ! Matt m'a dit que vous ne partiriez peut-être pas en voyage de noces tant que Pippa ne serait pas sevrée, mais j'ai eu une idée…

Elle s'interrompit, l'observant d'un air soucieux.

— De toute évidence, vous venez pour autre chose que des informations touristiques.

— Oui, c'est vrai. Vous pourriez m'accorder quelques minutes ? demanda Georgia.

Kelsey jeta un coup d'œil à la boutique, déserte à cette heure.

— Maintenant, j'ai même plus que quelques minutes. Vous voulez une tasse de thé ?

— Avec plaisir.

Il y avait une petite cuisine à l'arrière, et Kelsey, l'invitant à s'asseoir, remplit la bouilloire et disposa des biscuits sur une assiette. Lorsque le thé fut prêt, elle s'installa en face de Georgia et la contempla avec gravité.

— Qu'est-ce qu'il vous a fait ?

Georgia fut surprise qu'elle aille droit au but. Du coup, elle-même répondit sans détour.

— Il a oublié de me dire qu'il avait un fils.

Kelsey écarquilla les yeux.

— Il ne vous en a pas parlé avant ?

— Non. J'ai trouvé une photo de Liam par hasard, dans son bureau, ce matin.

Kelsey esquissa une moue sceptique.

— Quelquefois, je me demande comment cet homme a réussi à faire des études de médecine alors qu'il est si naïf !

Elle poussa un soupir.

— Il écoute davantage son cœur que sa raison. C'est pour cela que Lindsay a pu le manipuler aussi facilement. Elle a joué toutes les cartes nécessaires afin d'obtenir ce qu'elle voulait de Matt.

— Vous semblez bien la connaître.

Kelsey, qui s'apprêtait à boire une gorgée de thé, posa sa tasse et regarda Georgia d'un air perplexe.

— Que vous a-t-il dit exactement de ma relation avec son ex-femme ?

— Seulement qu'il la connaissait depuis longtemps parce qu'elle était votre amie.

Kelsey secoua la tête.

— Lindsay est ma sœur.

Cette fois, ce fut au tour de Georgia d'être stupéfaite.

— Maintenant je comprends tout… Enfin, presque tout, dit-elle. Si seulement je n'avais pas ce doute…

— Quel doute ?

— Je ne suis pas sûre de ce qui motive réellement Matt à vouloir m'épouser.

— Ça me paraît pourtant évident. Il est très amoureux de vous.

— Vous croyez ?

Kelsey sembla surprise.

— Vous en doutez vraiment ?

— Il s'est marié avec Lindsay parce qu'il voulait être le père de son bébé. Qui me dit qu'il ne fait pas la même chose avec moi ?

Kelsey hocha la tête.

— Vous craignez qu'il ne soit plus intéressé par vos enfants que par vous ?

La gorge serrée, Georgia acquiesça, incapable de ne pas envisager cette éventualité.

— Posez-lui la question, dit Kelsey. C'est le seul moyen de savoir !

17.

Georgia rentra chez elle embrasser ses enfants. Elle en avait besoin. Se retrouver avec eux lui permettait toujours de remettre les choses en perspective.

Pourtant, ce jour-là, bien qu'entourée de Shane, Quinn et Pippa, elle douta encore plus. Une seule chose était sûre : elle devait parler avec Matt sans plus tarder.

Un peu plus tard, Charlotte la rejoignit dans la buanderie où elle pliait du linge.

— Comment tu vas, ma chérie ?

— Moyennement bien, avoua Georgia.

— Pourquoi ? Tu te maries dans trois jours, tu devrais être folle de joie !

— Je sais…

Elle regarda sa mère.

— Mais je suis en plein doute…

— Encore ?

Charlotte fronça légèrement les sourcils, perplexe.

— Allons, que se passe-t-il ? L'église est réservée, les fleurs et le gâteau ont été commandés… Et tu auras ta robe demain matin !

Sa robe… Georgia l'avait choisie en satin ivoire, avec un décolleté en forme de cœur.

— C'est juste que tout va trop vite. J'ai connu Phillip trois ans avant de l'épouser. Je ne connais Matt que depuis quelques semaines !

Elle ajouta, la gorge serrée :

— En fait, je me demande si je le connais vraiment.
— Ta, ta, ta…
Charlotte esquissa un geste ample de la main, comme pour balayer les paroles, et les appréhensions, de sa fille.
— Tu as juste le trac, et c'est normal. Le mariage est un événement stressant. Toutes les futures mariées traversent les mêmes émotions !
— Je sais, maman, mais il s'agit d'autre chose…
Pour une fois, Georgia aurait voulu que sa mère réagisse comme une mère, et non comme la femme séductrice et sûre d'elle qu'elle avait toujours été.
— Très bien, explique-moi ce qui ne va pas.
Alors, sans réserve, Georgia lui confia ce qui la bouleversait tant.
Une fois qu'elle eut terminé son récit, Charlotte resta silencieuse pendant quelques secondes, visiblement confuse.
— Est-ce que tu l'aimes ? demanda-t-elle finalement.
— Là n'est pas la question.
— Est-ce que tu l'aimes ?
— Bien sûr. Sinon, je n'aurais pas accepté de me fiancer.
Charlotte réfléchit quelques instants avant de déclarer d'un ton presque solennel :
— Ma fille chérie, un mariage est avant tout un acte d'amour : c'est la preuve qu'on croit en l'autre, totalement.
— Justement, comment veux-tu que je fasse confiance à un homme qui ne m'a pas tout dit ?
— Il aurait dû te parler, j'en conviens. Mais je ne trouve pas que son silence à propos de Liam soit une preuve de malhonnêteté. Il ne t'a jamais dit qu'il n'avait *pas* eu d'enfant.
Prise au dépourvu, Georgia resta muette.
— Tu devrais faire preuve d'un peu plus de tolérance, poursuivit sa mère. Personne n'est parfait, et si tu attends que ton futur mari le soit, tu risques d'être très déçue.
— C'est sûr, murmura Georgia, pourtant peu convaincue.
— Je comprends que tu puisses douter de ses motivations, dit Charlotte. Mais tu pourrais aussi te mettre à sa place : son ex-femme et ce petit garçon appartiennent à son

passé… Il n'avait pas envie d'y penser. Toi, et tes enfants, vous représentez le futur !

Après une courte pause, elle ajouta :

— Tu peux reporter, ou annuler le mariage, si c'est vraiment ce que tu souhaites. Cependant, ma chérie, avant de prendre une telle décision, réfléchis bien à toutes les conséquences.

— Shane et Quinn seraient affreusement déçus, dit Georgia.

Charlotte secoua la tête.

— Ce n'est pas le plus important. Bien sûr qu'ils seraient tristes… Mais c'est à toi qu'il faut penser. Je n'ai pas oublié pourquoi tu as accepté sa demande en mariage.

— Parce que je l'aime…

Sa mère la regarda dans les yeux.

— Es-tu prête à passer le restant de ta vie sans l'homme que tu aimes ?

Après sa conversation avec sa mère, Georgia alla chez Matt, mais elle ne trouva que son frère Jack, qui montait, non sans peine, les lits superposés pour Shane et Quinn. Matt avait été appelé d'urgence à l'hôpital. Elle rentra donc chez elle, et guetta impatiemment son retour.

Il était tard lorsqu'elle vit les phares de sa voiture dans l'allée. Il serait fatigué, mais elle lui parlerait quand même.

Après avoir enfilé des sandales, elle sortit et se dirigea vers chez lui. La lune et les étoiles qui constellaient le ciel éclairaient la nuit. Il faisait bon… Sans doute s'était-il installé dans son jardin pour regarder les chiots jouer sur la pelouse…

Gagné. Il était assis près de son cerisier ; songeur.

Les petits chiens accueillirent Georgia en jappant joyeusement. Elle leur prodigua quelques caresses puis se tourna vers Matt.

— Bonsoir…

— Bonsoir.

Un petit mot banal… Mais la légère fêlure qu'elle perçut dans son ton trahissait autant de lassitude que d'incertitude.

Elle s'installa près de lui. Finnigan et Fredick continuaient à sautiller autour d'elle, et elle joua distraitement avec eux tout en cherchant à exprimer avec le plus de justesse possible ce qu'elle avait à dire.

Toutefois, il rompit le silence en premier.

— Tu es toujours en colère ?

Elle songea au tourbillon d'émotions qui l'avait traversée ces dernières heures.

— Je n'ai pas vraiment ressenti de colère… Sauf, peut-être, à l'égard de ton ex-femme, à cause de ce qu'elle t'a fait. Tu as été trop naïf.

— Ah… Tu as parlé avec Kelsey ?

Elle ne put s'empêcher de sourire.

— Oui.

— J'ai été naïf… Et je le suis toujours, dit-il tout bas. J'ai besoin de franchise… Et je n'ai même pas été capable de tout te dire.

— Parce que c'était trop dur.

— C'est sûr.

— Mais si tu me réponds là, tout de suite, franchement, on tournera vite la page, dit-elle.

— Si je te réponds franchement ? A quelle question ?

— Pourquoi veux-tu m'épouser ?

Dans la pénombre, elle sentit le regard de Matt se poser sur elle, la scruter.

— Pourquoi je veux t'épouser ? Si tu ne le sais pas, c'est que j'ai vraiment tout gâché.

— Non, ne dis pas ça… Dis-moi plutôt la vérité !

— Mais… je t'aime !

— C'est tout ?

— Comment ça « C'est tout » ?

— Ce n'est pas pour une autre raison que tu veux qu'on se marie ?

— Laquelle ?

Il semblait tellement stupéfait qu'elle fut obligée d'être plus précise :

— Tu rencontres une veuve et ses trois enfants… C'est l'occasion rêvée d'avoir de nouveau une famille, non ?

— Oui ! Mais… même si j'adore tes enfants, ce n'est certainement pas pour eux que je veux t'épouser !

Les paroles exactes qu'elle avait besoin d'entendre…

Comme elle fermait les yeux, elle sentit les doigts de Matt entrelacer les siens.

— Je veux t'épouser, Georgia, parce que je t'aime et que je ne peux pas imaginer l'avenir sans toi. Que tu aies des enfants, c'est comme un cadeau supplémentaire, je ne le nierai pas, mais c'est toi qui m'importes avant tout… Toi, Georgia.

Elle rouvrit les yeux et le regarda.

— Mais si tu veux reporter le mariage, je l'accepterai, dit-il dans un murmure. Je te demande juste de ne pas m'écarter de ta vie… Donne-moi une chance de te prouver mon amour.

— Toi, tu aurais envie de reporter le mariage ?

— Non. Je sais ce que je veux. Mais si tu as des doutes, on peut…

— Je n'en ai plus… Plus maintenant.

— C'est sûr ?

— Oui… Et on va vite se marier ! Parce que moi aussi, je t'aime, et moi aussi, je veux faire ma vie avec toi.

Il se leva, elle en fit autant, et ils s'étreignirent passionnément.

— Peut-être que, plus tard, si tu es d'accord, nous pourrions avoir un enfant, chuchota-t-il à son oreille.

— Pourquoi pas, répondit-elle, bouleversée. Mais seulement lorsque Pippa sera un peu plus grande !

— Quand tu seras prête.

Il la regarda en souriant, et son sourire exprimait une telle joie, un tel bonheur, qu'elle en fut bouleversée. Comment avait-elle pu douter de lui à ce point ?

— En attendant, on a beaucoup à faire… Surtout si on emménage chez toi après le mariage, dans trois jours !

— J'ai fini de poser le papier peint et la frise dans la chambre de Shane et Quinn. Tu veux voir ?

— Oui…

Il la prit par la main et ils se dirigèrent vers la maison qui, dorénavant, ne serait plus seulement la sienne, mais celle qu'ils partageraient… Tout comme ils partageraient leurs vies.

Ne manquez pas, dès le 1er mai

DOUCE TENTATION POUR UNE INFIRMIÈRE de Carol Marinelli
• N° 1170

Décidément, le Dr Juan Morales représente exactement le type d'homme que Cate déteste : séducteur invétéré, tête brûlée et sans attaches, il n'hésite pas à user de son charme pour obtenir ce qu'il veut ; et le pire, c'est que, même si elle se refuse à le reconnaître, elle n'y est pas non plus insensible. D'ailleurs, Juan semble bien l'avoir remarqué, au vu des regards de plus en plus brûlants qu'il lui adresse…

SÉDUITE… MALGRÉ ELLE, de Carol Marinelli

Quand on est chef d'un service d'urgences, il faut savoir donner de sa personne : Marnie l'a bien compris. Alors quand le meilleur chirurgien du service, Harry, lui apprend qu'il veut démissionner pour avoir plus de temps à consacrer à ses jumeaux, elle n'hésite pas une seconde, et lui propose de venir l'aider à s'en occuper. Elle compte bien en profiter pour le convaincre de renoncer à son projet ! Mais ce qu'elle ne sait pas encore, c'est qu'elle va tomber sous le charme de ce père merveilleux et de ses deux adorables bambins…

LE SECRET D'UN MÉDECIN, de Caroline Anderson • N° 1171

Entre ses jumelles de trois ans, dont elle s'occupe seule, et son poste de chef de clinique, Annie mène une vie bien remplie. Une vie où, après son divorce, elle a décidé qu'il n'y aurait pas de place pour un homme. Jusqu'au jour elle fait la connaissance du séduisant Dr Ed Shackelton : l'attirance entre eux est aussi irrésistible qu'inattendue. Et, bientôt, Annie sent naître en elle des sentiments qui la bouleversent… et dont elle a l'impression qu'ils sont réciproques. Pourtant, Ed garde mystérieusement ses distances ; comme s'il avait un secret à protéger…

UN AMOUR INOUBLIABLE, de Joanna Neil

Après un accident qui l'a laissée amnésique, Saffi essaie tant bien que mal de reconstruire sa vie. Mais rien n'est plus difficile, quand on n'a plus aucun repère ! Heureusement, elle peut compter sur le soutien du Dr Matt Flynn, son colocataire et collègue à l'hôpital. Matt, qu'elle apprend à connaître à nouveau, et qui l'attire de plus en plus… A tel point qu'elle finit par s'interroger : et si Matt et elle avaient été plus que de simples amis, avant l'accident ?

DE SI BOULEVERSANTES RETROUVAILLES, de Marion Lennox • N° 1172

Lors de sa première rencontre avec le médecin qui va soigner son fils Jessie, Kelly a un choc en reconnaissant Matt Eveldene. Matt, le frère de son mari, qu'elle n'a pas vu depuis la mort accidentelle de ce dernier, 17 ans plus tôt. Matt, qui, à l'époque, fou de douleur, l'avait profondément blessée en lui demandant de disparaître, avec l'enfant qu'elle portait. Matt, qu'elle devrait encore haïr aujourd'hui, mais qui à sa grande surprise déclenche en elle un tourbillon d'émotions…

LE PREMIER AMOUR DE MARIE, de Pamela Toth

Quand le Dr Marie Binghan apprend que l'inspecteur chargé d'enquêter sur les vols commis dans son hôpital n'est autre que Bryce Collins, elle a l'impression que son cœur s'arrête de battre. Et en un éclair, un flot de souvenirs la submerge alors : Bryce, son premier amour, lui avait brisé le cœur à l'époque, en refusant de la suivre lorsqu'elle était partie faire ses études de médecine. C'était il y a des années ; mais aujourd'hui que leurs retrouvailles sont imminentes, Marie sent un trouble profond s'emparer d'elle. Et, bouleversée, elle prend soudain conscience que ses sentiments pour Bryce n'ont peut-être pas disparu…

L'ÉPREUVE D'UNE CHIRURGIENNE, de Amber McKenzie • N° 1173

Kate est bouleversée. Sa brillante carrière de chirurgien, dont elle est si fière, est en péril ; et le seul qui puisse l'aider aujourd'hui est l'avocat qu'on lui assigné d'office…et qui n'est autre que Matt McKayne, l'homme qui lui a brisé le cœur dix ans plus tôt. Le revoir ne fera que rouvrir une plaie à peine cicatrisée, Kate le sait, mais elle n'a pas le choix : quoi qu'il lui en coûte, elle va devoir faire confiance à Matt. Car à présent sa carrière – et son cœur – reposent entre les mains de celui qu'elle n'a jamais pu oublier…

UNE NUIT AVEC LE DR CAMPBELL, de Cindy Kirk

Après une douloureuse rupture, Poppy décide une bonne fois pour toutes que l'amour, ce n'est pas pour elle : dorénavant, c'est à sa carrière qu'elle se consacrera. Une nouvelle règle de vie qu'elle respecte parfaitement… jusqu'à sa rencontre avec le très séduisant Dr Benedict Campbell. L'attirance qu'elle éprouve d'emblée pour lui est si puissante qu'elle ne peut s'empêcher d'y succomber, le temps d'une nuit merveilleuse. Une nuit qui, elle se l'est juré, restera unique et sans conséquences. Sauf que bientôt, elle découvre qu'elle est enceinte…